ESPAÑOL

SEGUNDO GRADO

ESPAÑOL
SEGUNDO GRADO

ANA MARÍA MAQUEO

ESPAÑOL PARA EXTRANJEROS

LIMUSA
NORIEGA EDITORES
MÉXICO • España • Venezuela • Colombia

ANTES DE EMPEZAR

El libro que está ahora en sus manos ha sido diseñado específicamente para la enseñanza del español como lengua extranjera.

El material que presentamos maneja en forma ordenada y graduada la lengua oral, tal y como se presenta en distintos contextos de comunicación en un marco social.

Siempre se ha tomado en cuenta la lengua en su forma auténtica y real para evitar así la artificialidad en las estructuras. Todos nuestros ejercicios tienen el propósito de ir graduando cuidadosamente las estructuras y contenido léxico y, al mismo tiempo, buscando la naturalidad y el uso real de la lengua.

La variante social del español que se ha seleccionado corresponde al habla culta de la ciudad de México, puesto que representa una forma estándar del español de América Latina. Probablemente ésta será la forma que el estudiante norteamericano tendrá más oportunidad de oír y practicar, dadas las condiciones geográficas, sociales y culturales de los grupos humanos de Norteamérica y Latinoamérica.

Lo anterior nos ha llevado a tratar de combinar el contenido meramente lingüístico de las lecciones con un marco de situaciones reales. Situaciones que un joven norteamericano cualquiera podría vivir al entrar en contacto con la gente de México; con su vida diaria, con sus actividades sociales y culturales, con su ideología.

Se ha mencionado ya que las estructuras y el léxico de esta obra son de uso frecuente en el español de México. Las estructuras se presentan en forma gradual, empezando por aquellas de menor complejidad sintáctico-transformacional y de mayor semejanza con las estructuras del inglés. El léxico no es muy vasto; se utiliza sólo el que se considera para desarrollar un acto de comunicación en un contexto social. En principio, se da preferencia a aquellas voces que tienen "amigos" semánticos en el idioma inglés. En ambos casos -estructuras y vocabulario- el texto ofrece un conjunto básico que el maestro podrá enriquecer con aquellos elementos que considere convenientes, según las necesidades particulares de su curso o de sus alumnos.

En vista de estas características, las explicaciones gramaticales y las reglas específicas se han simplificado considerablemente, para permitir su mejor comprensión a este nivel.

En cuanto a la pronunciación consideramos que, del material de laboratorio que existe en las escuelas, el maestro deberá elegir aquél que cumpla mejor los requisitos de un curso de este nivel: familiarizar al alumno con los sonidos del español y darle oportunidad de que los practique.

CARACTERISTICAS DEL SEGUNDO CURSO.

En el primer volumen buscamos el desarrollo de las habilidades de comprensión auditiva y expresión oral. La lectura y escritura fueron reducidas a un mínimo. Este segundo volumen pone, por tanto, mayor énfasis en estas actividades. Aquí se ofrecen, tanto en la Presentación como en la Conversación, diálogos y textos que tienen la intención de ayudar al maestro a practicar la lectura y la escritura. A veces los textos que se presentan son bastante extensos con el fin de ofrecer un material de apoyo para que el maestro pueda trabajar la lectura y escritura con los procedimientos que él en su forma particular acostumbre emplear. El método mismo no propone todavía -pues eso será motivo del tercer volumen- la ejercitación sistemática de la escritura ya en sus formas de composición y redacción. Sin embargo, los textos que presentamos pueden servir por su misma longitud para ese tipo de trabajo. Si el maestro no cree conveniente la libre utilización de esos textos largos, puede dejarlos de lado, sin que esto repercuta en la cantidad de material que se necesita para cubrir el curso, pues el resto del material está calculado para cubrirlo holgadamente.

ESTRUCTURA GENERAL DEL LIBRO.

El texto está formado por veintidós lecciones que cumplen objetivos gramaticales específicos. Contiene además un Apéndice con los verbos irregulares en los tiempos y formas que se han presentado tanto en este volumen como en ESPAÑOL UNO.

ESTRUCTURA DE CADA LECCIÓN.

Cada una de las lecciones contempla uno o varios temas gramaticales, un marco de comunicación social y un vocabulario congruente con este último. Cada lección está compuesta por las secciones que a continuación se explican:

INTRODUCCIÓN

La lección se inicia con un diálogo en el que aparecen las estructuras y problemas gramaticales que se cubrirán en ella. Éstas se presentan en un contexto natural, y pueden ir acompañadas de otras ya tratadas anteriormente o que no se manejan y se consideran como parte del repertorio pasivo del estudiante. En esta parte se pretende que el alumno vea la nueva estructura en un contexto y en una situación reales; es por ello por lo que no se hace resaltar ninguna estructura en particular.

PRESENTACIÓN

Inmediatamente después del diálogo viene un ejercicio oral que está identificado con los logotipos

Tiene por objeto practicar en forma oral las estructuras particulares que se van a desarrollar en la lección.

GRAMÁTICA Y EJERCICIOS

Los cuadros gramaticales que en forma esquemática se presentan a continuación, explican el mecanismo concreto que rige cada estructura practicada en la sección anterior. Los ejercicios de práctica -sustitución, transformación, adición,etc.- pretenden reforzar lo aprendido en cuanto a estructura y,al mismo tiempo, practicar el vocabulario nuevo que se presentó en el diálogo y en el de Escucha y Repite.

Cada uno de los diferentes temas gramaticales introducidos
en la lección se refuerza mediante el mecanismo antes descrito,
es decir: una sección de Escucha y Repite; un cuadro de explicación gramatical y práctica de patrones. Así pues, siempre que
encontremos el logo correspondiente a Escucha y Repite, sabremos
que se está trabajando un nuevo tema.

CONVERSACIÓN

Al final de cada lección hay una sección de Conversación,
en la que el maestro podrá emplear al máximo su propia creati-
vidad. En esta sección se pretende que los estudiantes generen
sus propios enunciados con base en las estructuras, vocablos y
situación que han manejado. Aquí es donde se podrá comprobar la
competencia que cada alumno va desarrollando. Naturalmente,
las "conversaciones" que a partir de esta sección se generen
serán de gran utilidad para el maestro, pues a través del aná-
lisis de los errores cometidos en esta producción -dirigida pero
espontánea- podrá darse cuenta de cuáles puntos han quedado bien
comprendidos y cuáles necesitará repasar y reforzar a lo largo
de las lecciones que siguen.

Tanto las estructuras como el vocabulario de cada uno de
los diálogos y textos, se refuerzan constantemente a lo largo de
las lecciones subsiguientes; con excepción de los "cognados",que
por transferencia se logran captar con bastante facilidad. Se
observará que la inclusión de "cognados" es muy frecuente, pues
encontramos que a través de ellos se puede enriquecer en forma
fácil y psicológicamente gratificante, el vocabulario, tanto
activo como pasivo del estudiante.

METODOLOGÍA.

Como ya se ha dicho anteriormente, este libro de texto tiene
por objeto desarrollar las habilidades orales de los alumnos por
lo que, por una parte, el uso del laboratorio será indispensable
y, por otra, el maestro deberá procurar trabajar la mayor parte
del tiempo con el libro cerrado.

Así pues, en cuanto a las técnicas de presentación, estamos
ante un método fundamentalmente audio-lingual. Sin embargo,
esto no quiere decir que no se haga uso de la presentación

explícita de mecanismos gramaticales, ni tampoco que se proscriba absolutamente la traducción a la lengua de los alumnos, que en ocasiones podría evitar largas y tediosas explicaciones o repeticiones de un patrón. Tampoco vemos la utilidad de prohibir la traducción de ciertos elementos de la lengua, ya que muchas veces una traducción eficaz puede ahorrar mil explicaciones. Cada estudiante posee un sistema lingüístico que puede ayudarle para la adquisición de otro, sobre todo en los momentos extremos en los que los dos sistemas se tocan o se separan al máximo. La transferencia y la interferencia son fenómenos que siempre estarán presentes en el proceso de aprendizaje de una segunda lengua; luego, ¿por qué no utilizarlos al máximo como auxiliares de la enseñanza?

El enfoque contrastivo, si no se lleva a extremos viciados, puede ser de utilidad para aclarar puntos gramaticales, enriquecer el léxico, destacar la colocación de elementos en un enunciado y hasta localizar las diferencias de articulación entre dos sonidos. Ya que este método ha sido preparado para estudiantes anglohablantes, será de utilidad hacer notar las similitudes y diferencias que existen entre las dos lenguas.

INTRODUCCIÓN

Se recomienda que el diálogo que introduce cada lección se lea repetidamente en la forma natural en que ocurre un diálogo, es decir, con un hablante y un interlocutor. El maestro y algún ayudante podrán, en un principio, servir de modelos para dar una demostración de la pronunciación requerida y de los patrones de entonación que contienen los enunciados del diálogo.

Si se desea una mayor participación del grupo, se puede dividir entre los diferentes personajes que toman parte en el diálogo y cada alumno leerá en voz alta uno de los personajes del texto.

Este es el momento para poner especial atención en que la pronunciación y la entonación sean lo más satisfactorias posibles.

PRESENTACIÓN

La sección de Escucha y Repite constituye principalmente un ejercicio de lectura, individual o coral, que deberá hacerse en voz alta. Aquí se enfatizará una vez más la correcta pronuncia-

ción. En este momento se puede dar atención personal a los
problemas de pronunciación y entonación.

GRAMÁTICA

La sección de gramática es más bien una guía para el maestro.
Es él quien debe decidir en cada caso, dependiendo de las necesidades del grupo, si amplía el tema con más explicaciones o si
los cuadros del libro son lo suficientemente claros para lograr
el objetivo de la lección. No se recomienda, desde luego, el
que se pida la memorización y/o repetición de reglas gramaticales.

EJERCICIOS

En la parte correspondiente a ejercicios de patrones, los
estudiantes sólo tendrán el libro abierto para leer el ejemplo
que precede a cada ejercicio. Una vez que hayan repetido el
ejemplo después del maestro y comprendido el mecanismo del ejercicio, éste deberá desarrollarse con el libro cerrado.

Es importante hacer notar aquí que si los alumnos no han
captado el mecanismo que se maneja en cada ejercicio, no tiene
sentido llevarlo a cabo, por lo que el maestro deberá cerciorarse
de que todos los estudiantes saben lo que se espera de ellos en
cada ejercicio. El texto mismo va marcando las secciones en las
que se debe trabajar con el libro cerrado, por medio de un logo-
tipo.

CONVERSACIÓN

En esta sección, como ya se ha dicho, se recoge el vocabulario y estructuras de la lección. Se pretende que, a través de
la conversación, el alumno genere sus propias estructuras de una
manera espontánea.

Aquí se presentan textos que van aumentando en complejidad
y longitud según avanza el curso. Las preguntas que se proponen
pueden ser utilizadas en principio como simple comprensión de la
lectura; pero también pueden ser sólo un punto de partida para
generar una conversación espontánea, sin que tengan entonces que
seguir un orden rígido. Los textos pueden ser utilizados también,
como ya dijimos al hablar de las características particulares de
este segundo volumen, para que el maestro los use como material
para posibles ejercicios de escritura, si es que él acostumbra
hacerlos.

RECUERDA, ATENCIÓN, OBSERVA.

Bajo estos títulos encontraremos pequeños cuadros a lo largo del libro. No son más que llamadas de atención sobre algo que, o bien no merece la pena de ser tratado con verdadero detenimiento, o es sólo un recordatorio sobre algo visto con anterioridad.

Estos cuadros que generalmente aparecen al lado de un ejemplo, deberán verse con el libro abierto, después de haber repetido el ejemplo. Si el maestro lo considera pertinente, podrá ampliarlos hasta donde juzgue necesario.

VOCABULARIO.

El vocabulario nuevo se presenta siempre en las secciones de Introducción o Presentación, a excepción de los "cognados" o los derivados que son de fácil comprensión.

No se intenta dar un vocabulario muy extenso; sólo el necesario para lograr nuestros objetivos.

LOGOTIPOS.

Nos hemos valido de ciertos logotipos con objeto de facilitar el manejo del texto:

ESCUCHA   REPITE   DIÁLOGO   LIBRO CERRADO

LECCIÓN 1

—Oye, yo creo que te conozco.

—Sí, a lo mejor me conoces del libro ESPAÑOL UNO.

—¡Claro! Yo estudié español con ese libro.

  Tú eres David, ¿verdad?

—Sí.

—Pues, mucho gusto, David. Yo soy Roberto. Estoy aquí de vacaciones,

  ¿y tú? ¿Todavía vives en México?

—Sí, todavía. Hoy les voy a enseñar el mercado de artesanías a mi

  hermana Bárbara y a su amiga Ruth. ¿Quieres venir con nosotros?

—No puedo. Estoy esperando a un amigo.

—Bueno, ni modo. Nos vemos, Roberto.

—Adiós, David.

Iba a pasar <u>por él</u> a las ocho.

Caminé <u>con ella</u> por el parque.

Hablaban <u>de mí</u>, ¿verdad?

Hice un pastel <u>para ellos</u>.

Necesitan hablar <u>con usted</u>.

¿Quieres venir <u>con nosotros</u>?

PREPOSICIÓN + PRONOMBRE PERSONAL

1.1

Los pronombres personales conservan su forma original cuando van después de una preposición:

Pasan por él.

Lo digo para ustedes.

Excepto:

yo ⟶ mí

tú ⟶ ti

Pasan por mí.

Lo digo para ti.

ATENCIÓN:

Hablan con él

Hablan con ella.

Hablan con usted.

Hablan con nosotros.

Hablan con ellos.

PERO:

Hablan <u>conmigo</u>.

Hablan <u>contigo</u>.

I. CAMBIA AL PRETERITO

Ej. Viene conmigo.
Vino conmigo.

1. Carlos pinta un cuadro para ti.
2. Lo explica otra vez para nosotros.
3. Necesito hablar contigo.
4. Encienden la chimenea para mí.
5. Hablan mal de ustedes.
6. Carmen no cree en mí.
7. Tenemos que hablar contigo.
8. Jorge lo trae para ustedes.
9. Prefiere salir conmigo.
10. Los compro para ti.

II. CAMBIA AL INTERROGATIVO.

Ej. Van a salir con Margarita.
¿Con quién van a salir?

1. Voy al mercado con mis amigas.
2. La ambulancia viene por el herido.
3. Estamos pensando en Luisa.
4. Van a preguntarle al doctor.
5. Los regalos son para Juanito.
6. Estuvieron hablando de ella.
7. Fui al cine con Roberto.
8. Organizaron la reunión para Elena.
9. Estoy aquí por María Luisa.
10. Esas cosas son de la maestra.

III. CONTESTA. USA PRONOMBRES PERSONALES.

1. ¿Con quién hablaba Martha?
2. ¿Para quién compraste esas flores?
3. ¿De quién hablabas?
4. ¿Por quién preguntaba ese señor?
5. ¿Para quién hiciste el pastel?
6. ¿Con quién vino Elena?
7. ¿En quién piensas?
8. ¿Para quién hizo la fiesta Juan?
9. ¿Con quién hablabas por teléfono?
10. ¿Para quién preparaste ese café?
11. ¿Con quién fuiste a Puebla?
12. ¿Para quién es el regalo?

El señor Ramírez es <u>contador</u>.
Es <u>un contador</u> competente.

Mi suegro es <u>ingeniero</u>.
Es <u>un ingeniero</u> muy bueno.

Su sobrina es <u>actriz</u>.
Es <u>una buena actriz</u>.

El señor García es <u>plomero</u>.
Es <u>un plomero</u> muy puntual.

Sergio es <u>arquitecto</u>.
Es <u>un mal arquitecto</u>.

Teresa es <u>dentista</u>*.
Es <u>una dentista</u> joven.

Raúl es <u>electricista</u>.
Es <u>un electricista</u> impuntual.

Mi vecino es <u>actor</u>.
Es <u>un actor</u> famoso.

ARTÍCULO INDEFINIDO
1.2

No usamos artículo indefinido
con los nombres de las profesiones
u ocupaciones:

    Luis es estudiante.
    Sergio es arquitecto.

Excepto cuando el nombre que designa
la profesión está modificado por un
adjetivo:

    Luis es <u>un</u> estudiante
    bueno.

    Sergio es <u>un</u> arquitecto
    famoso.

*el dentista - la dentista

16

IV. COMPLETA CON UN ARTÍCULO INDEFINIDO SI ES NECESARIO.

Elsa es _____ actriz famosa. Su esposo es ____ actor también. El padre

de Elsa era _____ dentista; era _____ dentista muy impuntual pero muy

bueno. Su madre es también _____ actriz, pero no es _____ actriz

famosa. Su suegro es _____ contador muy competente y su suegra _____

maestra en la universidad.

V. COMPLETA.

Ej. Don Luis es arquitecto.
Don Luis es un gran arquitecto.

1. María es empleada.
2. Ustedes son doctores.
3. Jorge es contador.
4. Ella es maestra.
5. Mi vecino es carpintero.
6. Ellos son ingenieros.
7. Mi hija es cantante.
8. Mis amigos son contadores.
9. Carmen es secretaria.
10. Mi sobrina es enfermera.

¿Qué es una posada?
Es una fiesta típica.

¿Qué meses son agradables?
Septiembre y octubre.

¿Qué necesitan?
Nada, gracias.

¿Qué prefieres tomar?
Cerveza, por favor.

¿Cuál es tu abrigo?
Aquél.

¿Cuál es tu mes favorito?
Enero.

¿Cuál quieres?
Cualquiera.

¿QUÉ?-¿CUÁL?

1.3

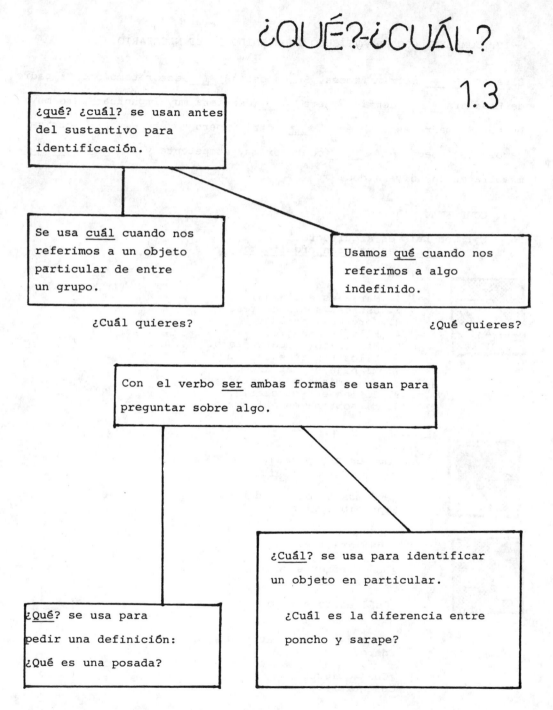

¿qué? ¿cuál? se usan antes
del sustantivo para
identificación.

Se usa cuál cuando nos
referimos a un objeto
particular de entre
un grupo.

Usamos qué cuando nos
referimos a algo
indefinido.

¿Cuál quieres?

¿Qué quieres?

Con el verbo ser ambas formas se usan para
preguntar sobre algo.

¿Qué? se usa para
pedir una definición:
¿Qué es una posada?

¿Cuál? se usa para identificar
un objeto en particular.

¿Cuál es la diferencia entre
poncho y sarape?

VI. CONTESTA LAS PREGUNTAS.

1. ¿Qué disco prefieres?
2. ¿Cuáles son tus meses favoritos?
3. ¿Qué tiene usted que hacer?
4. ¿Qué libro necesitamos?
5. ¿Cuál es tu libro?
6. ¿Qué coche tienes?
7. ¿Qué cigarros fuman?
8. ¿Qué es la sorpresa?
9. ¿Cuál es tu abrigo?
10. ¿Qué estudias?

Mis amigos quieren ir al cine.

Nosotros también queremos ir.

No encuentro el teléfono de Javier.

Yo tampoco lo encuentro.

Tengo miedo.

Yo también.

No tenemos prisa.

Nosotros tampoco.

TAMBIÉN - TAMPOCO
1.4

También	→	afirmación	→	Elena quiere comer. Yo también. (quiero comer)
Tampoco	→	negación	→	Elena no quiere comer. Yo tampoco. (quiero comer)

> También puede colocarse
>
> antes o depués del verbo:
>
> Yo también voy.
>
> Yo voy también.

VII. CAMBIA COMO EN EL EJEMPLO.

Ej. Hoy también está lloviendo.
    Hoy está lloviendo también.

1. Los niños también están enfermos.

2. También aquí está horrible el día.

3. Nosotros también vamos.

4. Luisa también tiene que estudiar.

5. También ellos tienen sed.

6. Elena también sabe francés.

7. Octubre también es agradable.

8. También Juan tiene esos libros.

9. Ella también quiere ir.

10. Las posadas también son fiestas típicas.

VIII. CAMBIA COMO EN EL EJEMPLO.

Ej. Jorge <u>tampoco</u> vino.
    Jorge <u>no vino</u> <u>tampoco</u>.

1. Yo tampoco tengo tiempo.
2. El plomero tampoco viene hoy.
3. Ellos tampoco viven aquí.
4. Luis tampoco fue a la reunión.
5. ¿Tú tampoco tomas?
6. Tampoco hay artesanías aquí.
7. Mis vecinos tampoco recibieron correo.
8. Ellos tampoco vieron el eclipse.
9. Su hija tampoco sabe esa leyenda.
10. Nosotros tampoco tomamos cerveza.

RECUERDA:

PRETÉRITO
  • acción perfecta. (terminada)
  • acción con límite de tiempo.
  • acción momentánea.

COPRETÉRITO
  • acción imperfecta. (continua)
  • acción habitual
  • descripción en el pasado.
  • acciones simultáneas en el pasado.

IX. COMPLETA. USA <u>PRETÉRITO O COPRETÉRITO</u>.

La semana pasada_____ al puerto de Veracruz. _____ un viaje
                (ir)(nosotros)   (ser)
muy especial porque nos_____ miles de cosas. _____ llegar al Hotel
                       (pasar)   (pensar)
Veracruz pero _____ lleno y no _____ conseguir cuartos. _____ buscando
             (estar)   (poder)   (estar)
un hotel más de dos horas. _____ uno cerca del mar pero _____
                           (encontrar)   (estar)
horrible. No _____ agua y _____ un poco sucio. _____ que irnos
            (haber)   (estar)   (tener)
a buscar otro. Después de un rato _____ uno, chico y agradable. Allí
                                  (encontrar)
_____ y _____ empezar nuestras vacaciones.
(quedarse)   (poder)

21

Como a las tres _____ a la playa porque _____ comer allí. ___
        (llegar)   (querer)   (ver)

a un muchacho que _____ mariscos y lo _____ . _____ un muchacho
                      (vender)   (llamar)   (ser)

simpático y agradable. _____ Roberto. _____ platicando con
                          (llamarse)   (estar)

él un rato. Le _____ que _____ ver la puesta de sol y él nos
                 (platicar)   (querer)

_____ cuál _____ el mejor lugar. Los otros días _____ más
(decir)   (ser)   (ser)

tranquilos. En las mañanas ____ a la playa: unos _____ , otros
                            (ir)   (pescar)

_____ y otros _____ . A mediodía _____ juntos y luego
(nadar)   (esquiar)   (comer)

_____ una siesta.
(dormir)

Pero el martes _____ un día muy diferente. Como _____ ir a
                  (tener)   (pensar)

pescar todo el día, _____ pescado y mariscos en el mercado.
                       (comprar)

_____ a las diez de la mañana con la comida y unas cervezas.
(irse)

omo _____ tanto calor la comida _____ y las cervezas
      (hacer)   (echarse a perder)

_____ . _____ que regresar hasta el puerto muertos de hambre y de sed.
(calentarse) (tener)
                                    22

CONVERSACIÓN

X. LEE.

Cuando llega al mercado el visitante no sabe hacia donde ver. Podemos encontrar allí reunidos los objetos más variados. Desde un enorme muñeco de cartón hasta unos pequeñísimos animalitos de vidrio.

Al principio sólo vemos un mundo de infinitos colores. Poco a poco cada cosa toma su dimensión real y su originalidad.

Los objetos que están aquí reunidos representan el trabajo y la sensibilidad de los artesanos de todas las regiones de México. Emplean los materiales más diversos: madera, metal, papel, tela, cuero, cerámica, barro...

Hay juguetes, vestidos, platos, joyas, sarapes, muebles... Todo lo hacen a mano artesanos que heredaron su oficio de su padre y de su abuelo.

Las artesanías mexicanas son muy apreciadas por todos los que visitan el país.

XI. CONTESTA.

1. ¿Qué pasa cuando llega al mercado el visitante?

2. ¿Qué vemos al principio?

3. ¿Qué representan los objetos reunidos allí?

4. ¿De qué región de México son estos objetos?

5. ¿De qué material son?

6. ¿Qué objetos podemos encontrar?

7. ¿Cómo hacen las artesanías?

8. ¿Dónde aprenden su oficio los artesanos?

9. ¿Son apreciadas las artesanías mexicanas?

10. ¿Tienes alguna?

11. ¿Cuáles son tus artesanías favoritas?

12. ¿Son caras o baratas las artesanías?

LECCIÓN 2

—¿En qué piensas?

—Estaba pensando en el regreso.

—¿Quieres regresar?

—Sí y no. Por una parte, extraño la provincia, el campo, el aire puro; pero, por otra, quiero estar aquí y ver toda la ciudad.

—¿Es la primera vez que vienes?

—No, estuve estudiando aquí un verano.

—¿Hace mucho tiempo?

—No, hace dos años.

—¿Qué estudiabas?

—Español, historia y arte.

—Y tú, Ruth, ¿quieres regresar?

—No quiero, pero debo hacerlo. Tengo que trabajar.

—¿En qué trabajas?

—En una agencia de publicidad.

—¿Es interesante?

—Sí, mucho. Además, en ese empleo tengo oportunidad de viajar con frecuencia.

Ruth estuvo trabajando allí dos años.
Estaba trabajando allí cuando te conoció.

Estuvimos lavando ropa toda la tarde.
Estábamos lavando cuando llegó Marcela.

Estuvieron bailando hasta media noche.
Estaban bailando cuando oyeron el ruido.

Estuve guisando hasta medio día.
Estaba desayunando cuando leí la noticia.

Carlos estuvo viajando cuatro meses.
Estaba viajando cuando visitamos a sus padres.

Estuve estudiando hasta la madrugada.
Estaba cenando cuando llamaste.

Jorge estuvo vendiendo seguros unos meses.
Estaba vendiendo seguros porque tenía vacaciones.

Los muchachos estuvieron cantando y bailando anoche.
Estaban cantando cuando llegué.

Estuvimos viviendo en Colombia varios años.
Estábamos viviendo allá cuando empezó la guerra.

Estuvieron jugando baraja hasta muy tarde.
Estaban jugando baraja cuando entré.

ESTAR + GERUNDIO

(PRETÉRITO - COPRETÉRITO)

ESTAR + GERUNDIO

2.1

PRETÉRITO

COPRETÉRITO

Acción continua en el pasado. Conocemos la duración o el límite del tiempo.

Estuve viviendo allí dos años.

Acción continua en el pasado. La acción interesa por su continuidad; no por la duración o el límite de tiempo.

Estaba guisando cuando llamaste.

I. SUSTITUYE.

 Ej. Luis estuvo estudiando hasta media noche.
  (nosotros)
  Estuvimos estudiando hasta media noche.

A.

1. Elena estuvo trabajando hasta la madrugada.
 (los ingenieros) (yo) (Raúl y yo)
 (el plomero) (nosotros) (ellos)

2. Estuve lavando ropa toda la mañana.
 (la señora) (las muchachas) (Marcela)
 (Luisa y yo) (usted) (tú)

3. Estuvieron bailando y cantando hasta media noche.
 (tus sobrinos) (ella) (los muchachos)
 (la gente) (yo) (nosotros)

4. Luis estuvo vendiendo seguros unos meses.
 (mis hijos) (su esposo) (los alumnos)
 (el arquitecto) (tú) (nosotros)

5. Estuvimos viajando por Sudamérica tres meses.
 (los turistas) (Marcela) (mis padres)
 (mi hermano y yo) (tú) (ellos)

B.

1. Estaba guisando cuando entraste.
   (las muchachas) (mi mamá) (nosotros)
   (tus sobrinas) (yo) (Margarita)

2. Ellos estaban desayunando cuando lo supieron.
   (el doctor) (Juan y yo) (Marcela)
   (los muchachos) (mi padre) (mis padres)

3. Estábamos cenando cuando oímos el ruido.
   (mi suegra) (yo) (los contadores)
   (Sara) (Elena y Teresa) (Luis y yo)

4. Elena estaba guisando cuando llegó Carlos.
   (las señoras) (yo) (Rosa y tú)
   (tú) (nosotros) (mi suegra)

5. Estaban trabajando cuando regresó el doctor.
   (los ingenieros) (la enfermera) (nosotros)
   (el plomero y yo) (ustedes) (el albañil)

II. CAMBIA COMO EN EL EJEMPLO.

Ej. Luisa <u>estuvo viviendo</u> allí <u>dos años</u>.
    Luisa <u>estaba viviendo</u> allí <u>cuando regresé</u>.

1. Estuvieron guisando toda la tarde.

2. Estuve trabajando hasta media noche.

3. Estuvimos bailando toda la tarde.

4. Juan estuvo viajando tres meses.

5. Estuvimos lavando ropa toda la mañana.

6. El teléfono estuvo sonando un rato.

7. Elsa estuvo nadando hasta mediodía.

8. Estuvieron pintando toda la tarde.

9. Estuve lavando los vidrios ayer.

10. Marcela estuvo estudiando varias horas.

III. CAMBIA COMO EN EL EJEMPLO.

Ej. <u>Estaba guisando</u> cuando <u>llegaste</u>.
   <u>Estuve guisando</u> toda la mañana.

1. Estábamos lavando la ropa cuando llamaste.
2. Luisa estaba estudiando cuando llegué.
3. Estaban arreglando la casa cuando hablé.
4. El teléfono estaba sonando cuando entró Marcela.
5. Luis estaba buscando empleo cuando lo conocí.
6. Estábamos viajando por Europa cuando empezó la guerra.
7. Estaba trabajando en la agencia cuando conocí a Lupe.
8. Estaban jugando baraja cuando oyeron la noticia.
9. Estaba tomando el sol cuando empezó a llover.
10. Estábamos admirando las pinturas cuando lo vimos.

IV. DI ALGO SOBRE LA ILUSTRACIÓN. USA <u>ESTAR + GERUNDIO</u>,

   <u>EN PRETÉRITO O COPRETÉRITO</u>.

Pensé que ella <u>decía</u> algo.

Pensé que ella <u>estaba diciendo</u> algo.

La señora <u>guisaba</u> cuando llegué.

La señora <u>estaba guisando</u> cuando llegué

Marcela <u>admiraba</u> las pinturas.

Marcela <u>estaba admirando</u> las pinturas.

ESTAR+GERUNDIO

2.2

La forma ESTAR + GERUNDIO en
el copretérito puede reemplazar
al copretérito. Esto se hace
para dar énfasis a la temporalidad
de la acción.

Cenaba cuando llegaste.

Estaba cenando cuando llegaste.

La segunda forma pone más énfasis
en la continuidad de la acción.

V. CAMBIA COMO EN EL EJEMPLO.

Ej. Toda la gente <u>cantaba</u>.
    Toda la gente <u>estaba cantando</u>.

1. Marcela lavaba cuando llegué.
2. Creí que tomabas el sol.
3. Llovía mucho cuando salimos.
4. Cuando entró Luis, Margarita dormía.
5. Todos bailaban y cantaban.
6. Pensamos que cenabas ahorita.
7. Viajaban cuando supieron la noticia.
8. La empleada no decía la verdad.
9. Cuando entramos, escribían en máquina.
10. Supe que extrañabas a tu familia.

¿Vives aquí hace mucho?
No, hace dos meses solamente.

¿Cuándo* fuiste a Europa?
Hace cuatro años.

¿Cuándo trabajaste en la agencia?
Trabajé allí hace un año.

¿Estás aquí hace dos semanas?
No, hace tres.

* ¿Cuándo? se refiere al
  tiempo en general: año,
  mes, día, hora.

31

HACE

2.3

La forma impersonal HACE + una expresión de tiempo, expresa:

En el presente:
El tiempo transcurrido entre el inicio de la acción y el momento en que hablamos:

Vivo aquí hace dos años.

En el pretérito:
Señala un momento en el pasado.

Fui a Perú hace dos años.

Se coloca después del verbo:
Vine hace dos años.

VI. SUSTITUYE.

Ej. Vivo aquí hace tres meses.
(Marcela)
Marcela vive aquí hace tres meses.

A. Estudiamos alemán hace un año.
(sus sobrinos) (mi suegra) (tú)
(Sara y Jorge) (ella y yo) (ustedes)

B. Trabajan en la agencia hace varios meses.
(yo) (mi hermana y yo) (Raúl)
(ustedes) (mis hijos) (tú)

C. Estoy aquí hace una hora.
(los ingenieros) (el doctor) (tú)
(Carlos) (la enfermera y yo) (usted)

VII. SUSTITUTYE.

Ej. Estuve en Guatemala hace tres meses.
(los muchachos)
Los muchachos estuvieron en Guatemala hace tres meses.

A. Fuimos al cine hace tres días.
(sus suegros) (la enfermera) (Jorge y Luis)
(Luis y yo) (Marcela) (ustedes)

B. Viajé por Europa hace un año.
(tú) (Rosa y tú) (ella y yo)
(mis padres) (Teresa) (sus hijos)

C. Vendimos el coche hace dos semanas.
(mis padres) (el doctor) (yo)
(mi esposo y yo) (tú) (ellos)

VIII. FORMA ORACIONES.

Son las seis. Llegamos a las cuatro.
Llegamos hace dos horas.

```
RECUERDA:
hace después del verbo
```

1. Fuimos en mayo. Estamos en septiembre.
2. Trabajé en la universidad en 1970. Ahora trabajo aquí.
3. Hoy es lunes. Fui al cine el sábado.
4. Son las once. Cené a las ocho y media.
5. El sábado guisé para toda la semana. Hoy es jueves.
6. Estamos en 1978. Fui a Guatemala en 1969.
7. Son las nueve. Llegué a las siete y media.
8. Hoy es martes. Visité a Marcela el jueves pasado.
9. Estamos en 1976. Empecé a estudiar en 1968.
10. Son las doce. Me levanté a las siete.
11. Estamos en 1977. Viví allá en 1972.
12. Regresé a las cuatro. Son las nueve.

CONVERSACIÓN

IX. CONTESTA.

1. ¿Estudias español hace mucho?

2. ¿Cuándo fuiste a Canadá?

3. ¿Viven aquí hace muchos años?

4. ¿Cuándo llegaron?

5. ¿Trabajan en esta fábrica hace mucho?

6. ¿Llamaron hace mucho?

7. ¿Tocas el piano hace mucho tiempo?

8. ¿Cuándo vino el albañil?

9. ¿Estás enfermo hace muchos días?

10. ¿Cuándo recibiste esas cartas?

11. ¿Desayunaste hace dos horas?

12. ¿Vendieron ustedes su coche hace poco?

LECCIÓN 3

—¿Hace mucho que llegaron?
—No, acabamos de llegar.
—¿Qué hacen?
—Estamos viendo unas fotos.
  Son realmente impresionantes.
—Vamos a tratar de ordenarlas.
  Todas son sobre los grandes
  contrastes que ofrece la Ciudad
  de México.

Un puesto de flores, tan
sencillo y alegre, junto
a una sofisticada "boutique".

Unos indígenas con sus trajes
típicos cruzan una fabulosa
avenida, llena de edificios y
coches muy modernos.

Las zonas típicas y coloniales
de la ciudad, y las colonias
residenciales y modernas.

¿Cuándo <u>aprendieron a manejar</u>?　¿<u>Terminaron de leer</u> el libro?
El año pasado.　No, todavía no terminamos.

¿<u>Acaban de llegar</u> las muchachas?　¿Quién te <u>enseñó a tocar</u> la flauta?
Sí, llegaron hace cinco minutos.　Un amigo.

¿Qué haces?　¿<u>Tenemos que ir</u> a la conferencia?
Estoy <u>tratando de ordenar</u> las fotos.　Sí, <u>hay que ir</u>.

¿<u>Volvieron a llamar</u> a Roberto?　¿Cuándo <u>dejaste de ir</u> a las clases?
Sí, pero no estaba.　Hace tres semanas.

VERBO + PREPOSICIÓN

3.1

Hay algunas combinaciones de verbo + preposición (o verbo + que) funcionan como unidades antes de un infinitivo.

ATENCION:

OBSERVA:

Juan volvió a llamar.　　　　Acaban de llegar.
(Juan llamó otra vez).　　　(Llegaron hace un momento).

| volver a = acción repetida |

| acabar de = acción reciente |

Dejamos de leer a las once.　　Traté de leerlo.
(Leímos hasta las once).　　　(Intenté leerlo).

| dejar de = desistir, abandonar, terminar |

| tratar de = intentar |

I. SUSTITUYE.

Ej. Estamos aprendiendo a guisar.
(coser)
Estamos aprendiendo a coser.

A. Le estoy enseñando a manejar.
(cantar) (bailar) (lavar la ropa)
(tomar fotos) (nadar) (jugar baraja)

B. ¿A qué hora terminaron de comer?
(estudiar) (cenar) (trabajar)
(desayunar) (guisar) (jugar)

C. Están tratando de entrar.
(aprender) (pasar) (volver)
(llamar) (hablar) (contestar)

D. Los muchachos acaban de llamar.
(entrar) (venir) (salir)
(llegar) (subir) (recordar)

E. Aprendí a nadar hace poco.
(manejar) (coser) (hablar francés)
(guisar) (tocar guitarra) (bailar)

F. Empezaremos a trabajar el lunes.
(estudiar) (asistir) (invitar)
(jugar) (practicar) (tocar)

G. Dejé de estudiar hace un rato.
(trabajar) (leer) (llamar)
(tocar) (buscar) (fumar)

II. CAMBIA.

    A. Ej. María vino otra vez.
          María volvió a venir.

1. El niño cenó otra vez.   5. Lo intentamos otra vez.
2. Teresa fue otra vez.   6. Roberto llamó otra vez.
3. María guisó otra vez.   7. Manejó tu coche otra vez.
4. Ordené las fotos otra vez. 8. Ellos desayunaron otra vez.

    B. Ej. Luis llamó hace un momentito.
          Luis acaba de llamar.

1. Desayuné hace un momentito. 5. ¿Viajaron ustedes hace poco?
2. Vinimos hace un momentito. 6. Elena fue al súper hace un rato.
3. Llegaron hace poco.   7. Lavé la ropa hace un momento.
4. ¿Cenaste hace un momento? 8. Vendieron la casa hace poco.

    C. Ej. Estudiamos hasta medianoche.
          Dejamos de estudiar a medianoche.

1. Luis fumó hasta julio.   5. Llovió hasta las nueve.
2. Trabajé hasta las once.   6. El bebé jugó hasta mediodía.
3. Cantamos hasta la madrugada. 7. Ellos vendieron seguros hasta diciembre.
4. Elsa estudió hasta marzo.   8. Nevó hasta abril.

    D. Ej. Intentamos hacerlo varias veces.
          Tratamos de hacerlo varias veces.

1. Intentaron nadar ayer.   5. ¿Intentaste manejar ese coche?
2. No intenté entrar allí.   6. El niño intentó lavar las paredes.
3. Ella intentó conseguir el artículo 7. Intentamos bailar tango.
4. Ella intentó llegar a tiempo 8. Intentó comprar un coche último modelo.

III. CONTESTA.

1. ¿Cuándo aprendiste a nadar?
2. ¿Quién te enseñó a manejar?
3. ¿Volvió a venir el doctor?
4. ¿Acabas de llegar?
5. ¿A qué hora terminaste de desayunar?
6. ¿Trataron de conseguir los boletos?
7. ¿A qué hora empezó a guisar Marcela?
8. ¿Por qué dejaste de trabajar en la fábrica?
9. ¿Quién tiene que traer las fotos?
10. ¿Hay que comprar otros libros?

¿Sigues trabajando allí?
Sí, todavía sigo allí.

¿Siguen estudiando alemán?
No, ya no. Ya terminamos el curso.

¿Sigue usted viviendo en esa casa?
Sí, allí vivo todavía.

¿Siguen enseñando en la universidad?
No, ahora están escribiendo.

SEGUIR + GERUNDIO

3.2

Expresa una acción que
empezó en el pasado y
continúa hasta el momento
presente:

  Sigo viviendo aquí.

IV. SUSTITUYE.

Ej. Seguimos cenando allí los lunes.
(ella)
Sigue cenando allí los lunes.

A. ¿Sigues extrañando a tus amigos?
(Sara) (ustedes) (tu hija)
(ellos) (usted) (la señora)

B. Marcela sigue aprendiendo arte moderno.
(nosotros) (Raúl) (ustedes)
(tú) (Carlos y yo) (mis primos)

C. Siguen nadando una hora todos los días.
(tu hija) (ellas) (Elsa y yo)
(Elena y tú) (su sobrina) (nosotros)

¿Sigues estudiando español?

¿Todavía estudias español?

seguir+gerundio=todavía

ATENCIÓN:
TODAVÍA es un adverbio que se refiere al tiempo transcurrido entre un momento pasado y el momento en que hablamos.

V. CAMBIA.

Ej. Ellos siguen vendiendo seguros.
Todavía venden seguros.

1. Sigo extrañando mucho a mis amigos.
2. Seguimos guisando en las noches.
3. ¿Sigues estudiando hasta la madrugada?
4. Los indígenas siguen llevando trajes típicos.
5. Ella sigue vendiendo sus cuadros.
6. Mis suegros siguen viviendo en Puebla.
7. El doctor sigue buscando una enfermera.
8. Seguimos nadando todos los días.
9. Elsa sigue trabajando en la agencia de publicidad.
10. Ruth sigue pensando en el regreso.

VI.   CONTESTA EN FORMA NEGATIVA. USA <u>YA</u>.

    Ej. ¿Sigues viviendo en esa casa?
        No, ya no. (vivo allí)

    1. ¿Sigues extrañando la comida de tu país?
    2. ¿Sigue usted buscando casa?
    3. ¿Siguen tus hijos yendo a esa escuela?
    4. ¿Sigue el doctor viajando mucho?
    5. ¿Sigues manejando dos horas diarias?
    6. ¿Sigue Luis estudiando japonés?
    7. ¿Siguen yendo a las conferencias?
    8. ¿Sigue tu hija haciendo gimnasia?
    9. ¿Siguen ellos escribiendo en máquina?
   10. ¿Sigues fumando mucho?

VII. CONTESTA EN FORMA AFIRMATIVA. USA <u>TODAVÍA</u>.

    Ej. ¿Sigues jugando boliche?
        Sí, todavía juego.

    1. ¿Sigue haciendo mucho calor?
    2. ¿Siguen poniendo el puesto de flores allí?
    3. ¿Sigues comprando tu ropa en esa boutique?
    4. ¿Sigue haciendo frío aquí?
    5. ¿Siguen ustedes tomando esos cursos?
    6. ¿Sigue nevando mucho en tu país?
    7. ¿Sigues buscando un empleo?
    8. ¿Sigue Roberto vendiendo seguros?
    9. ¿Siguen ustedes pensando en el regreso?
   10. ¿Sigue lloviendo mucho?

Esta foto es <u>mejor que</u> aquélla.

Mi coche está <u>peor que</u> ése.

Su hija es <u>mayor que</u> Lupe.

Mi mamá es <u>menor que</u> mi tía.

EL ADJETIVO

(GRADO COMPARATIVO)

3.3

Los adjetivos
<u>bueno</u>, <u>malo</u>, <u>grande</u>, <u>chico</u>
son irregulares en el
comparativo de superioridad

bueno — mejor
malo — peor
grande— mayor
chico — menor

Decimos: Mi hermano es mayor que yo.

No decimos: ~~más~~ mayor   ~~más~~ mejor

~~más~~ menor   ~~más~~ peor

ATENCIÓN:

El superlativo de
los adverbios <u>bien</u>
y <u>mal</u> se forma:

bien — mejor

mal — peor

VIII. FORMA ORACIONES.

A. Ej. Teresa escribe bien. Carlos no escribe bien.
Teresa escribe <u>mejor</u> que Carlos.

1. Mi hermano maneja bien. Yo no manejo muy bien.
2. Ayer hizo buen tiempo. Hoy hace mal tiempo.
3. Ana juega bolibol bien. Rosa no juega bien.
4. Leo muy mal en voz alta. Carlos lee muy bien.
5. Mi sobrina nada mal. Mi hija nada muy bien.
6. Alfonso pinta muy bien. Su esposa no.
7. Ese radio suena bien. Éste suena mal.
8. La secretaria trabaja bien. La empleada no.

B. Ej. Luisa nada mal. Yo nado muy mal.
   Yo nado peor que Luisa.

1. Estoy de muy mal humor. Carlos está de mal humor.
2. María guisa muy mal. Rosa guisa mal.
3. Jorge maneja mal. El chofer maneja muy mal.
4. Mi hijo lee muy mal. Tu hijo lee mal.
5. Ella canta mal. Él canta muy mal.
6. El carpintero trabaja muy mal. El plomero trabaja mal.
7. El señor oye mal. La señora oye muy mal.
8. El niño come muy mal. La niña come mal.

C. Ej. Elena tiene veinte años. Ruth tiene dieciocho.
   Elena es mayor que Ruth.

1. Javier tiene 32 años. Felipe tiene 18.
2. Verónica tiene 12 años. María Elena tiene 14.
3. Antonio tiene 70 años. Su esposa tiene 62.
4. Ana tiene 18 años. Alejandro tiene 20.
5. Miguel tiene 21 años. Tere tiene 19.
6. Pilar tiene 29 años. Su esposo tiene 28.
7. Juanito tiene 4 años. Su hermano tiene 2.
8. Lupita tiene 5 años. Elsa tiene 9.

D. Ej. Pepe tiene cuatro años y Luis tiene seis.
   Pepe es menor que Luis.

1. Sergio tiene 31 años. Ana tiene 20.
2. Marcela tiene 14 años. Roberto tiene 17.
3. Pedro tiene 19 años. Su hermana tiene 21.
4. Tere tiene 21 años. Jorge tiene 15.
5. Manuel tiene 62 años. Felipe tiene 66.
6. Ana tiene 23 años. Roberto tiene 22.
7. Ernesto tiene 17 años. Bárbara tiene 24.
8. Pilar tiene 16 años. Marcela tiene 13.

CONVERSACIÓN

IX. LEE.

Las muchachas, como todos los visitantes, están impresionadas con la ciudad. Es natural, la ciudad de México, con aproximadamente dieciséis millones de habitantes, es muy interesante. Es frecuente ver indígenas con trajes típicos, puestos de flores y casas coloniales, en contraste con edificios modernísimos, gente elegante y tiendas exclusivas.

Es muy interesante ver en la misma ciudad iglesias y edificios de las tres culturas de este país: prehispánica, colonial y moderna. Muy cerca de la ciudad están las pirámides de Teotihuacán, una zona arqueológica en donde podemos admirar la gran cultura de los pueblos indígenas. Las pirámides tienen el sentido religioso y artístico de las culturas prehispánicas. Hay dos pirámides principales: la pirámide del Sol y la pirámide de la Luna.

X. CONTESTA.

1. ¿Por qué están impresionadas las muchachas?
2. ¿Cuántos habitantes tiene la ciudad de México?
3. ¿Conoces alguna ciudad más grande?
4. ¿Cuántos habitantes tiene la ciudad donde vives?
5. ¿Cuáles son los contrastes de la ciudad de México?
6. ¿Qué prefieres: los edificios coloniales o los modernos?
7. ¿Por qué?
8. ¿Está lejos de la ciudad la zona arqueológica de Teotihuacán?
9. ¿Qué hay en Teotihuacán?
10. ¿Qué sentido tienen las pirámides?
11. ¿Cuáles son las principales pirámides?
12. ¿Conoces algunas pirámides?
13. ¿Qué piensas de las culturas prehispánicas?

LECCIÓN 4

—Llegaste tardísimo, ¿verdad?

—Sí, me desperté* un cuarto de hora tarde y cuando salí el tráfico estaba imposible.

—¿A qué hora te levantas generalmente?

—A las siete. Me baño, me visto,* me peino y me desayuno en una hora.

Salgo a las ocho y llego a las ocho y media.

Generalmente me acuesto* temprano.

Me arreglo en quince minutos.

Marcela no se pinta el pelo.

Me dormí muy tarde anoche.

Los niños no se lavaron los dientes.

El bebé se moría* de risa.

¿Te sientes* mal?

Nos pusimos el impermeable.

* Verbo irregular.

45

VERBOS REFLEXIVOS

4.1

Se usan para indicar que la misma persona ejecuta y recibe la acción del verbo:

Teresa se baña temprano.

El resultado de la acción se refleja en el sujeto.

SE FORMAN —— Anteponiendo al verbo un pronombre reflexivo:

Me rompí una pierna.

¿Te lastimaste el brazo?

Teresa se come las uñas.

Nos lavamos la cara.

Ellas se pintan los ojos.

En el infinitivo se usa el pronombre: romperse, lastimarse.

PRONOMBRES REFLEXIVOS

me	nos
te	se
se	

I. SUSTITUYE.

Ej. Susana se despierta a las ocho.
(yo)
Me despierto a las ocho.

A. Me levanté muy tarde hoy.
(Juan) (nosotros) (usted)
(mis hijos) (Rosa) (tú)

B. A veces nos bañamos en la noche.
(Rosa) (yo) (mi hermana)
(ustedes) (Carlos) (ellos)

C. Elsa se viste en diez minutos.
(yo) (las muchachas) (usted)
(nosotros) (mi papá) (ustedes)

D. Ellas se peinan muy bien.
(Elena) (yo) (ustedes)
(nosotros) (mis amigas) (Marcela)

E. El doctor se desayuna muy temprano.
(mis suegros) (nosotros) (Luis)
(yo) (ustedes) (tú)

F. Me acuesto a mediodía a veces.
(mi mamá) (tú) (nosotros)
(ellos) (usted) (Carmen)

G. Margarita se arregla en quince minutos.
(yo) (mis amigas) (nosotros)
(Carmen) (tú) (ellas)

H. Ella no se pinta las uñas.
(nosotros) (Elena) (tú)
(usted) (yo) (María Luisa)

I. Nunca se duermen temprano.
(Carlos y Luis) (nosotros) (tú)
(Marcela) (yo) (Juan y yo)

J. Se lavan las manos antes de comer.
(Luisa) (nosotros) (Carlos)
(yo) (ustedes) (tú)

K. Elena se moría de risa.
(nosotros) (ustedes) (tú)
(mis papás) (yo) (Margarita)

L. Elsa no se sintió bien ayer.
   (yo) (mi hermana) (Teresa y Luis)
   (nosotros) (ellos) (el niño)

M. Ayer me puse mi impermeable nuevo.
   (Luis) (ellos) (nosotros)
   (tú) (Elena) (mis hijas)

N. Elena se rompió un brazo.
   (los niños) (yo) (nosotros)
   (tú) (Margarita) (ustedes)

O. Luis se lastimó una pierna.
   (nosotros) (yo) (Carmen)
   (ellos) (tú) (mi hija)

II. CAMBIA AL PRESENTE.

Ej. <u>Me lastimé</u> el brazo anoche.
    <u>Me lastimo</u> el brazo frecuentemente.

1. Pepe se despertó muy temprano ayer.
2. Nos levantamos a las siete la semana pasada.
3. Carlos se puso su traje nuevo.
4. Se peinaron después de desayunar.
5. Elena no se sintió bien ayer en la mañana.
6. El bebé se durmió a las ocho anoche.
7. Me acosté temprano anoche.
8. ¿Te vestiste en diez minutos?
9. Juan se rompió una pierna.
10. Carmen se pintó los ojos en el coche.

III. CAMBIA AL PRETÉRITO.

Ej. <u>Me lavo</u> las manos antes de comer.
    <u>Me lavé</u> las manos antes de comer.

1. No me siento bien hoy.
2. Mi hijo se rompe un brazo.
3. Pepe se muere de miedo.
4. Elena se arregla en diez minutos.
5. Nos lastimamos la espalda.
6. Los niños se bañan con agua fría.
7. ¿Te duermes muy temprano?
8. Me pongo el abrigo nuevo.
9. Carlos se acuesta tarde siempre.
10. Me visto en cinco minutos.

IV. DI ALGO SOBRE LA ILUSTRACIÓN.

Elena se lastimó <u>un</u> dedo.

Ellas no se pintan <u>la</u> boca.

Jorge se rompió <u>un</u> pie.

Los niños se lavan <u>los</u> dientes.

Me lastimé <u>el</u> cuello.

¿Te pintaste <u>las</u> uñas?

VERBOS REFLEXIVOS

(ARTÍCULO)

```
              mano
artículo + pierna
              brazo
```
Usamos artículos definidos
o indefinidos con los nombres
de las partes del cuerpo:

Me lavo las manos.
Me lastimé un dedo.

4.2

No decimos: Me lavo ~~mis~~ manos.
Me lastimé ~~mi~~ dedo.

V. SUSTITUYE.

Ej. Margarita se lastimó el cuello.
(yo)
Me lastimé el cuello.

A. Elena se rompió un dedo.
(ustedes) (yo) (Carlos)
(nosotros) (las niñas) (usted)

B. Nos limpiamos los pies antes de entrar.
(ellos) (yo) (la niña)
(tú) (ustedes) (Carlos)

C. Marcela se lastimó el cuello.
(yo) (el muchacho) (ustedes)
(nosotros) (Alicia) (tú)

D. Ellas no se pintan la boca.
(usted) (Teresa) (yo)
(mi amiga) (ustedes) (tú)

Lavamos los platos después de comer*.
Nos lavamos las manos antes de cenar.

Me baño muy rápido en las mañanas.
Baño al niño en las noches.

El niño se rompió una pierna.
El niño rompió un vidrio con la pelota.

Arregla la casa dos veces a la semana.
Susana se arregla muy despacio.

¿Pones las cosas en su lugar?
¿Te pones esa falda muy seguido?

REFLEXIVOS-NO REFLEXIVOS

Algunos verbos pueden tener
carácter reflexivo o no
reflexivo.

4.3

OBSERVA:

Raúl se despierta a las siete.

(despierta él mismo)

Raúl despierta a su hijo a las siete.

(despierta a otra persona)

PERO:
Se murió.
Se sintió mal.

*RECUERDA:
preposición + infinitivo
de   comer

51

VI. CAMBIA. HAZ LAS MODIFICACIONES NECESARIAS.

Ej. <u>Me levanté</u> a las siete ayer.
<u>Levanté</u> a la niña a las siete ayer.

1. ¿Te arreglaste muy rápido?
2. Rosa se lastimó una mano.
3. Nos pusimos un vestido nuevo.
4. ¿A qué hora te dormiste?
5. Se visten muy despacio.
6. Me baño en diez minutos.
7. Nos despertamos a las seis.
8. Ella se pinta las uñas muy bien.
9. Me peino muy rápido.
10. Se lavan los dientes tres veces al día.
11. ¿Te acostaste temprano?
12. Juan se rompió un brazo ayer.

VII. CAMBIA. HAZ LAS MODIFICACIONES NECESARIAS.

Ej. <u>Dormimos</u> al bebé a las siete ayer.
<u>Nos dormimos</u> a las siete ayer.

1. ¿Bañas al perro una vez a la semana?

2. Levantamos a los niños a las siete.

3. ¿Viste usted a su hijo muy rápido?

4. Elena peina muy bien a sus hijas.

5. ¿A qué hora acuestas al bebé?

6. Lavo el coche antes de salir.

7. ¿Arregla usted su cuarto en las mañanas?

8. Pintamos la casa una vez al año.

9. ¿Duermes al niño en los brazos?

10. Despierto a mis hijos a las 6:30.

11. El niño rompe los zapatos con frecuencia.

12. Lupe y Rosa ponen la ropa en el clóset.

Nos lavamos las manos.   Me lastimé un dedo.
Nos las lavamos.   Me lo lastimé.

No se pinta los ojos.   ¿Te rompiste la pierna?
No se los pinta.   ¿Te la rompiste?

PRONOMBRES

(REFLEXIVO + O.D.)   **4.4**

| ref. + o.d. + verbo |
| Nos las lavamos. |

me		
te	lo	
se	+ la +	verbo
nos	los	
se	las	

VIII. SUSTITUYE EL OBJETO DIRECTO.

Ej. Me pinto las uñas.
    Me las pinto.

1. Me lavo los dientes tres veces al día.
2. Susana se puso su abrigo nuevo.
3. Ellas se pintan los ojos en cinco minutos.
4. Mi sobrina se rompió una pierna.
5. ¿Se lastimaron el cuello?
6. Esa niña se come las uñas.
7. Nadie se limpia bien los pies.
8. ¿Nunca te pones impermeable?

IX. CAMBIA AL NEGATIVO. USA PRONOMBRES DE O.D.

    Ej. Nos pintamos el pelo.
        No nos lo pintamos.

1. Susana se puso su falda nueva.
2. Nos limpiamos los pies antes de entrar.
3. El niño se lavó bien la cara.
4. Las muchachas se pintan el pelo seguido.
5. Susana se rompió el brazo ayer.
6. Me lastimé mucho el pie.
7. Sus hijos se comen las uñas.
8. Luis se lava la cara en la mañana.

X. CONTESTA. USA PRONOMBRES DE O.D. Y AGREGA NUEVA INFORMACIÓN.

    Ej. ¿Te lavas el pelo todos los días?
        No, no me lo lavo todos los días, me lo lavo
        tres veces a la semana.

1. ¿Se pinta Elena el pelo cada semana?
2. ¿Se pone usted esa falda muy seguido?
3. ¿Se come las uñas tu sobrina?
4. ¿Nunca te pintas las uñas?
5. ¿Se lava usted los dientes una vez al día?
6. ¿Se rompió la pierna tu hijito?
7. ¿Se lavaron las manos los niños?
8. ¿Te lastimaste mucho el dedo?

Elena llegó muy tarde.   Nos arreglamos muy rápido.
Llegó tardísimo.   Nos arreglamos rapidísimo.

Luis está muy contento.   Es muy sofisticado.
Está contentísimo.   Es sofisticadísimo.

ADJETIVO-ADVERBIO

4.5

Para expresar el grado superlativo de adjetivos y adverbios:	Se antepone <u>muy</u>: Me acosté muy temprano. Compré una blusa muy bonita.

Algunos adverbios y adjetivos agregan la terminación - <u>ísimo</u> para expresar un grado más alto de superioridad

grande + ísimo

grandísimo

rápido + ísimo

rapidísimo

fácil + ísimo

facilísimo

XI. FORMA DOS ORACIONES.

Ej. Es agua <u>pura</u>.
Es agua <u>muy pura</u>.
Es agua <u>purísima</u>.

1. El artículo es sencillo.
2. Martha camina rápido.
3. Es un edificio moderno.
4. La tienda está lejos.
5. La avenida es ancha.
6. Me levanté tarde.
7. Es un espectáculo aburrido.
8. El programa es útil.
9. El ingeniero está borracho.
10. Llegaron temprano.
11. La fruta es barata.
12. El café está caliente.

CONVERSACIÓN

XII. CONTESTA.

1. ¿A qué hora te levantas?

2. ¿Te vistes muy rápido?

3. ¿A qué hora se despierta tu hermana?

4. ¿Se desayunan todos juntos en tu casa?

5. ¿Te bañas en la mañana o en la noche?

6. ¿Se lava Rosa el pelo todos los días?

7. ¿Es conveniente lavarse el pelo todos los días?

8. ¿A qué hora se acuesta usted generalmente?

9. ¿Se pintan el pelo tus amigas?

10. ¿Te rompiste un brazo el año pasado?

11. ¿Se murió alguien de tu familia este año?

12. ¿Te lastimaste el dedo con la puerta?

— Me gusta la madrugada.

— Sí, a mí también. Me encantan la noche, la luna y las estrellas.

— Fue una buena idea venir a ver el eclipse, ¿verdad?

— Claro. Dicen que es una oportunidad casi única en la vida.

— Además, salir de la ciudad, ver el cielo claro, pinos, vacas y grandes zonas verdes es maravilloso.

— Dicen que los mayas sabían mucho de astronomía.
  Incluso hay una historia sobre un fraile español y un eclipse.

— A mí me interesa también ver a los campesinos y hablar con ellos.

— Perdón por interrumpir la conversación, pero a la fogata le falta leña. ¿Quién la va a buscar?

— Bueno, pues iré yo, aunque no tengo ganas.

— No importa, puedes ir sin ganas.

¿Te interesa mucho la astronomía?
Sí, pero me faltan conocimientos.

¿Les gusta el museo de Antropología?
Sí, nos encanta La Piedra de los Sacrificios.

¿Te simpatiza el doctor Lara?
Sí, me encanta su conversación. Es un hombre muy culto.

¿Qué le duele* al niño?
Creo que le duele el estómago.

¿Te molestan las vacas?
No, me molestan las moscas.

¿Les sirve* este libro?
Sí, claro. Es sobre culturas indígenas.

¿Le sobra leña a la fogata?
No, le falta. Hay que traer más.

¿Te estorban estas cajas?
No, puedes ponerlas en mi tienda.

¿Le acomodan los zapatos tenis?
Sí, especialmente en el campo.

¿Le queda bien el abrigo?
Sí, me queda muy bien.

---

* Verbo irregular

GUSTAR

(Y OTROS VERBOS)

5.1

> Algunos verbos en español se
> construyen en tercera persona
> con un pronombre de o.i.

OBSERVA:

Me gusta la madrugada.

Me gustan los pinos.

> Se conjugan en todos los
> tiempos, en tercera persona,
> singular o plural, de acuerdo
> con el sujeto.

I. SUSTITUYE.

Ej. Me gusta el sol.
(el sol y la luna)
Me gustan el sol y la luna.

(FALTAR)

A. Les falta ropa.

(tiempo y dinero) (publicidad) (dos tiendas)

(conocimientos) (una oportunidad) (ganas)

(SOBRAR)

B. Le sobró tiempo.

(mucha comida) (ocho pesos) (leña)

(estas cajas) (unos zapatos) (cigarros)

(INTERESAR)

C. Me interesa la conversación.
   (el arte y la historia) (el eclipse) (los campesinos)
   (las culturas indígenas) (la astronomía) (las estrellas)

(GUSTAR)

D. ¿Les gustaban los pinos y el campo?
   (el calor) (el cielo y la luna) (la astronomía)
   (La Piedra de los Sacrificios) (las estrellas) (las fogatas)

(ENCANTAR)

E. Le encanta la historia del fraile.
   (el sol y el calor) (la playa) (esos trajes)
   (el aire puro) (las risas) (ese empleo)

(MOLESTAR)

F. Nos molestó el aire.
   (las moscas) (el ruido) (los puestos)
   (esa niña) (tus amigos) (la publicidad)

(SERVIR)

G. ¿Te sirven estos papeles?
   (esta ropa) (las fotos) (esos trajes)
   (el impermeable) (estas faldas) (esa leña)

(DOLER)

H. Me dolía mucho el brazo.
   (los pies) (el estómago) (los dedos)
   (la espalda) (los ojos) (el cuello)

(ESTORBAR)

I. Les estorba tu coche.
   (esas cajas) (la tienda) (tus zapatos)
   (la leña) (los puestos) (el camión)

(SIMPATIZAR)

J. Me simpatizó el doctor Lara.
   (tus sobrinas) (ese niño) (tu familia)
   (sus padres) (Rosa) (Jorge y Luis)

(ACOMODAR)

K. Le acomoda mucho esa falda.
   (esos zapatos) (este departamento) (esa ropa)
   (esas tiendas) (este impermeable) (esta blusa)

(QUEDAR)

L. No me queda bien la falda.
   (las blusas) (los zapatos) (el color verde)
   (los trajes típicos) (el impermeable) (esos vestidos)

A mí me gustan los colores claros.

A ti no te acomodan los zapatos tenis.

A ella le gusta el aire puro.

A Elena le interesan las estrellas.

A él no le estorbaba la caja en su tienda.

A Carlos le molestan las moscas.

A nosotros nos encantó esa película.

A ustedes les falta un poco de dinero.

A ellos no les sobra tiempo.

A Carlos y a Raúl les dolía la garganta.

A Teresa no le queda bien el color azul.

A MÍ, A TI, A ÉL...

Las formas a mí, a ti, a usted, a él, a ella, a nosotros, a ustedes, a ellos, a ellas se usan para dar énfasis o aclarar la persona.

Nunca sustituyen al pronombre de O.I.

Se usan también para contestar:
¿A quién le gusta? A mí.

Y en comparaciones y contrastes:
A Luis no le interesa, a mí sí.

5.2

OBSERVA:

A mí me interesa esa película.

A Rosa le duele el estómago.

No decimos:

~~A Rosa duele el estómago.~~

Sino:

Le duele el estómago.

A ella le duele el estómago.

II. SUSTITUYE.

Ej. A ella le gustan las estrellas.
(a mí)
A mí me gustan las estrellas.

A. Al niño le duele la garganta.
(a ellos) (a Rosa) (a mí)
(a nosotros) (a usted) (a su hijo)

B. A ellos les interesa mucho esa película.
(a nosotros) (a Luisa) (a ustedes)
(a mí) (al doctor) (a mi esposo)

C. A ella le acomodan los zapatos tenis.
(a mí) (a los niños) (a Luisa)
(a nosotros) (a Juan) (a ti)

D. A Luis le simpatiza mucho Jorge.
(a ustedes) (a ti) (a Carmen)
(a mí) (a ellos) (a nosotros)

Al policía le interesa capturar a ese hombre.

A él le molesta matar a los animales.

A los indios les gustaba recordar* los eclipses.

A ese niño le encanta amenazar a sus hermanas.

Todavía me falta planchar el vestido.

INFINITIVO COMO SUJETO

Cuando el sujeto es
un infinitivo, el verbo gustar
(sobrar, interesar, etc.)
se usa en singular.

5.3

Me interesa oír la conversación.
Nos encanta visitar las zonas indígenas.

* Verbo irregular

III. CAMBIA AL COPRETÉRITO.

Ej. A Luis le acomoda comprar en esa tienda.
    A Luis le acomodaba comprar en esa tienda.

1. A mi sobrino le gusta matar animales.
2. A los niños les encanta capturar pájaros.
3. Me falta planchar un poco de ropa.
4. A los perros les gusta matar gatos.
5. Al policía le falta capturar al hombre.
6. A Jorge le molesta llegar tarde.
7. Nos interesa mucho ver el eclipse.
8. Les gusta amenazar a sus vecinos.
9. Al gato le gusta capturar moscas.
10. A los mayas les interesa observar las estrellas.

IV. CAMBIA AL NEGATIVO.

Ej. Nos gustaba ver los pinos y el campo.
    No nos gustaba ver los pinos y el campo.

1. A mí me interesaba ir a la exposición.
2. Nos acomodaba planchar en la cocina.
3. A mi hijo le gustaba molestar a los vecinos.
4. A ellos les interesaba recordar las direcciones.
5. A Luis le molestaba interrumpir la conversación.
6. Al gato le encantaba matar moscas.
7. Nos faltaba escribir a máquina el artículo.
8. A Jorge le gustaba amenazar a esos muchachos.
9. A Tere le acomodaba guisar en la noche.
10. A los perros les gustaba capturar gatos.

V. CONTESTA.

Ej. ¿A quién le gustaba salir al campo?
    A mí me gustaba. (A mí no me gustaba).

1. ¿A quién le interesaba capturar a ese hombre?
2. ¿A quiénes les molestaba planchar de noche?
3. ¿A quién le gustaba matar moscas?
4. ¿A quiénes les dolía la garganta?
5. ¿A quién le quedaron bien los zapatos tenis?
6. ¿A quiénes les gustaba amenazar a los niños?
7. ¿A quién le simpatizó el doctor González?
8. ¿A quiénes les gustaba recordar los eclipses?
9. ¿A quién le sobró dinero?
10. ¿A quiénes les estorbaba mi coche?

Si hay muchas piedras, no podremos correr.
No podremos correr si hay muchas piedras.

Si fueron al campo, vieron el eclipse.
Vieron el eclipse si fueron al campo.

No puedes ver esa película si estás enfermo del corazón.
Si estás enfermo del corazón, no puedes ver esa película.

Desaparecerá* el mal olor si abres la ventana.
Si abres la ventana, desaparecerá el mal olor.

SI

(CONDICIONAL)

5.4

Si se usa para introducir una oración que expresa condición.

La oración subordinada expresa condición real o posible en el presente, el pasado o el futuro:

Viene si puede.
Vino si pudo.
Vendrá si puede.

OBSERVA:

Viene si puede.
Si puede, viene.

El orden de las oraciones puede variar. Si se coloca primero la subordinada, se separa de la principal con una coma.

* Verbo irregular

VI. CAMBIA AL PRESENTE.

 Ej. Si <u>llegaron</u> a tiempo, <u>vieron</u> la película.
     Si <u>llegan</u> a tiempo, <u>ven</u> la película.

 1. Si había piedras, no podían jugar.
 2. Si estabas enfermo del corazón, no debiste subir.
 3. Si les interesaban los campesinos, debieron regresar.
 4. Si había mal olor, debiste abrir las ventanas.
 5. Si comías eso, te dolía el estómago.
 6. Si querían fogata, necesitaban conseguir leña.
 7. Si no llovió, el cielo estuvo claro.
 8. Si te acostabas tarde, te sentías mal.
 9. Si sabía mucho, era un hombre culto.
10. Si era tu único cigarro, no debiste darlo.

VII. FORMA UNA ORACIÓN.

 Ej. Tienes miedo. No puedes ir.
     No puedes ir <u>si</u> tienes miedo.

 1. Le duele la garganta. No puede tomar agua fría.
 2. Te gusta esta vida. Debes vivir en el campo.
 3. Les interesan las estrellas. Tienen que estudiar astronomía
 4. No te molestan. No debes amenazarlos.
 5. Elsa se siente mal. No puede planchar.
 6. Abres las ventanas. Desaparecerá ese olor.
 7. No consigues el líquido. No matarás las moscas.
 8. No es nada importante. No pueden interrumpir.
 9. No consiguen agua. Van a morirse las vacas.
10. Los vecinos están enfermos. No hacemos la fiesta.

—¿Por qué no están tranquilos los policías?

—Porque <u>va a haber</u> una manifestación.

—<u>Va a haber</u> problemas con la alfombra.

—¿Por qué?

—Porque está goteando agua del techo.

—¿Qué dijeron los campesinos?

—Que precisamente hoy <u>iba a haber</u> un eclipse.

—¿Qué te avisó el encargado?

—Que no <u>iba a haber</u> agua en la tarde.

HABER

RECUERDA:

Expresa existencia:

  Hay leche.
  Había varios alumnos.
  Hubo un eclipse.

5.5

ATENCIÓN:

Va a haber una fiesta.

Iba a haber un eclipse.

VIII. CAMBIA AL COPRETÉRITO.

    Ej. <u>Va a haber</u> una reunión importante.
       <u>Iba a haber</u> una reunión importante.

1. Va a haber una buena película en televisión.

2. Va a haber campesinos en la manifestación.

3. No va a haber un eclipse de luna.

4. Va a haber miles de personas.

5. ¿Va a haber fogatas y tiendas?

6. Va a haber una manifestación tranquila.

7. No va a haber niños en la fiesta.

8. ¿Va a haber una reunión hoy?

CONVERSACIÓN

— Elena, ¿por qué no nos cuentas la historia del fraile?

— Sí, claro. Es una historia que leí en un libro del escritor guatemalteco Augusto Monterroso.

Fray Bartolomé vivió tres años en América, en donde aprendió lenguas indígenas. En Guatemala los indios lo capturaron mientras dormía.

Cuando despertó vio que iban a sacrificarlo.

Entonces tuvo una idea.

Como era un hombre culto, con grandes conocimientos de Aristóteles, recordó que precisamente ese día iba a haber un eclipse de sol.

Si me matan —amenazó a los indios— desapareceré el sol.

Fray Bartolomé esperó tranquilamente.

Dos horas después, mientras su corazón goteaba sobre la piedra de los sacrificios, un indio maya leía una larga lista con las fechas de todos los eclipses.

Los indios las sabían porque también tenían grandes conocimientos de astronomía, aunque no conocían a Aristóteles.

Texto adaptado de "El eclipse en Monterroso Augusto, Obras completas (y otros cuentos), Edit. Joaquín Mortiz (serie del volador), México, 1971.

X. CONTESTA.

1. ¿Dónde leyó Elena esta historia?

2. ¿Cómo se llamaba el fraile?

3. ¿Cuánto tiempo vivió en América?

4. ¿Qué hacía cuando lo capturaron?

5. ¿Qué vio cuando despertó?

6. ¿Sabía Fray Bartolomé lenguas indígenas?

7. ¿Era un hombre culto o inculto?

8. ¿Qué recordó en ese momento?

9. ¿Qué les dijo a los indios?

10. ¿Qué hizo después?

11. ¿Qué hicieron los indios?

12. ¿Por qué?

LECCIÓN 6

—Hay que recoger las cosas rápido si queremos comer cerca de los volcanes.

—Yo quiero quedarme aquí para toda la vida.

—Elena, no es el momento de bromear.

—No estoy bromeando. Éste es un sitio ideal para vivir.

—Bueno, Elena se queda y los demás nos vamos. Mientras David recoge la tienda, tú puedes poner las otras cosas en la cajuela, Juan.

—O.K. Ya estamos listos. ¿Te vas o te quedas, Elena?

—Me voy, ni modo.

—Señora, ¿por qué a veces vemos los volcanes desde la casa y a veces no?

—Supongo que es por la cantidad de smog.

—Los volcanes son bellísimos.

—Hay también una leyenda sobre ellos. ¿La sabes?

—No, y me gustan mucho las leyendas.

—En el coche te la cuento.

¿Te quedaste mucho rato en la fiesta?
Sí, me quedé hasta las tres de la mañana.

Bertha no se casó con Alberto, ¿verdad?
No, se enamoró de otro muchacho.

¿Por qué se queja el niño?
Porque se cayó y se lastimó.

¿Cómo te ensuciaste la falda?
Me senté en la tierra.

¿Por qué se enojó el bebé?
Porque se fue el gato.

¿Con quién te ríes?
Con nadie. Me río sola.

¿Dónde te mojaste los zapatos?
En la calle porque está lloviendo.

¿Qué hicieron en la playa?
Nadamos mucho y nos asoleamos.

¿Por qué se enfermaron los muchachos?
Porque se asolearon mucho.

¿Te despediste* de tus abuelitos?
Sí, y también de mis tíos.

OTROS VERBOS REFLEXIVOS

6.1

Además de los verbos reflexivos
puros, hay muchos otros que se
construyen como reflexivos:

   Ella se quejó con el encargado.

Los verbos quedarse y quejarse
siempre se conjugan como reflexivos.

* Verbo irregular

I. SUSTITUYE.

Ej. Me quedé allí hasta las cuatro.
    (nosotros)
    Nos quedamos allí hasta las cuatro.

(ENAMORARSE) A. Luisa se enamoró de Pepe.
                 (Carmen) (yo) (tú)
                 (Elena) (mi prima) (ella)

(QUEJARSE)   B. El muchacho se quejó con el encargado.
                 (nosotros) (tú) (ustedes)
                 (mis abuelitos) (usted) (su tía)

(CASARSE)   C. Se casaron en 1974.
                 (nosotros) (usted) (yo)
                 (Tere y Luis) (Elsa) (ellos)

(REÍRSE)   D. Mi abuelita se rio mucho con la película.
                 (yo) (mis tíos) (usted)
                 (nosotros) (Carmen) (ellos)

(CAERSE)   E. Margarita se cayó de la escalera.
                 (mi niño) (yo) (ellos)
                 (usted) (tú) (nosotros)

(ENSUCIARSE) F. Mi tía se ensució con la tierra.
                 (los niños) (tú) (Margarita)
                 (ellos) (nosotros) (usted)

(SENTARSE)   G. Se sentaron en la cajuela del coche.
                 (yo) (los niños) (mi tía)
                 (nosotros) (usted) (ellos)

(MOJARSE)   H. El niño se mojó los zapatos.
                 (ustedes) (Carlos) (nosotros)
                 (los muchachos) (ella) (tú)

(ASOLEARSE)   I. Nos asoleamos mucho en Cuernavaca.
                 (ustedes) (mis hijas) (mi abuelita)
                 (yo) (Carlos y Elsa) (usted)

Fuimos a la playa el verano pasado.
Nos fuimos a las once anoche.

Voy y regreso en dos horas.
Me voy, así podrán hablar tranquilamente.

Va a la escuela todos los días.
Se va de vacaciones el lunes.

IR

- Cambiar de un lugar a otro:

    Voy a Puebla mañana.

- Desplazarse de aquí para allá:

    Fui a la zapatería.

IRSE

- Salir, partir:

    Me voy a las nueve.

- Abandonar o dejar un lugar:

    ¿Se quedan o se van?

    Nos quedamos un rato.

En ocasiones la diferencia
entre ir e irse es muy
ambigua. Irse es simplemente
más enfático.

II. CONTESTA.

1. ¿Vas al mercado ahorita o más tarde?
2. ¿Cuándo te vas de vacaciones?
3. ¿Fueron a un sitio interesante?
4. ¿Ya se fueron las visitas?
5. ¿A qué hora te fuiste?
6. ¿Fuiste a ver los volcanes?
7. ¿Fue usted a Europa el año pasado?
8. ¿Por qué se fue usted tan temprano?
9. ¿Vas al centro con frecuencia?
10. ¿Te vas de vacaciones pronto?

Los niños no <u>se quieren bañar</u>.
Los niños no <u>quieren bañarse</u>.

<u>Se van a casar</u> en agosto.
<u>Van a casarse</u> en agosto.

Nos queremos asolear un rato.
<u>Queremos asolearnos</u> un rato.

¿Te vas a quedar hasta mañana?
¿<u>Vas a quedarte</u> hasta mañana?

PRONOMBRES REFLEXIVOS

6.3

Cuando hay dos verbos, los pronombres reflexivos se colocan antes o después de los verbos.
Si se colocan después, forman una sola palabra con el infinitivo o el gerundio.

<u>Te</u> tienes que lavar el pelo.
Tienes que lavar<u>te</u> el pelo.

<u>Se</u> está riendo conmigo.
Está riéndo<u>se</u> conmigo.

Los niños <u>se</u> van a enfermar.
Los niños van a enfermar<u>se</u>.

III. CAMBIA.

Ej. <u>Se van a quejar</u> con el encargado.
<u>Van a quejarse</u> con el encargado.

1. Te debes despedir amablemente.
2. Los muchachos se están asoleando.
3. Te puedes caer de la escalera.
4. ¿Se van a casar pronto?
5. Me estoy ensuciando el vestido.
6. El bebé se está riendo muy contento.
7. Nos pensamos ir a las dos en punto.
8. Se quieren quedar en el hotel.
9. Se necesitan levantar temprano.
10. Pedro se va a enojar mucho.

IV. CAMBIA.

Ej. Necesito irme a las nueve.
    Me necesito ir a las nueve.

1. Vamos a sentarnos en esa banca.
2. Prefiero quedarme aquí.
3. Están riéndose de nosotros.
4. Pueden enfermarse con el frío.
5. Van a mojarse la ropa.
6. Prefieren sentarse en el piso.
7. ¿Sabes pintarte los ojos?
8. Tenemos que acostarnos temprano.
9. Van a quejarse en la oficina.
10. Estamos despidiéndonos de Pedro.

V. SUSTITUYE EL OBJETO DIRECTO.

Ej. Quiere lavarse las manos.
    Quiere lavárselas.

1. Puedes mojarte los zapatos.
2. Van a ensuciarse las manos.
3. Necesitas lavarte la cara.
4. Quiere ponerse su vestido azul.
5. Voy a pintarme el pelo hoy.
6. Deben lavarse los dientes.
7. Pueden romperse una pierna.
8. Estoy arreglándome las uñas.
9. Vas a lastimarte el cuello.
10. Estás mojándote la ropa.

```
RECUERDA:
Quiero pintarme las uñas.
Quiero pintármelas.
Me las quiero pintar.
(reflexivo + o.d.)
```

VI. SUSTITUYE EL OBJETO DIRECTO.

Ej. Te vas a lastimar el pie.
    Te lo vas a lastimar.

1. ¿Me puedo poner esta blusa?
2. Te debes limpiar los pies.
3. Se están pintando las uñas.
4. Se va a lastimar el brazo.
5. Te puedes romper una mano.
6. ¿Te quieres mojar los pies?
7. Se van a ensuciar la ropa.
8. Nos tenemos que arreglar el pelo.
9. Se necesitan lavar la cara.
10. ¿Te estás pintando los ojos?

VII. SUSTITUYE EL OBJETO DIRECTO.

Ej. No se quiere lavar el pelo.
No se lo quiere lavar.

1. No deben mojarse los zapatos.
2. Elsa no se sabe pintar los ojos.
3. No vamos a ponernos vestido largo.
4. No se tienen que lavar la cara.
5. Ellos no van a ensuciarse la ropa.
6. No nos queremos romper un brazo.
7. No estoy lastimándome los dedos.
8. No se quiere limpiar las manos.
9. Pedro no está mojándose la ropa.
10. No se van a arreglar las uñas.

VIII. CONTESTA. USA PRONOMBRES DE OBJETO DIRECTO.

Ej. ¿Quieres lavarte las manos?
Sí, me las quiero lavar. (Sí, quiero lavármelas.)

1. ¿Sabes pintarte los ojos?
2 ¿Necesitan limpiarse los pies los niños?
3. ¿Pueden lavarse los dientes aquí?
4. ¿Prefieres ponerte tu falda negra?
5. ¿Quieres lastimarte un brazo?
6. ¿Vas a pintarte las uñas?
7. ¿Estás lavándote el pelo ahorita?
8. ¿Van a mojarse los pies?
9. ¿Tienes que ponerte impermeable?
10. ¿Necesita usted pintarse el pelo?

Mis hijos se pelean frecuentemente.

Lupe y Verónica se encuentran a veces.

Mario y yo nos conocimos en tu casa.

Roberto y Alejandro no se saludan.

¿Se visitan tus hijas y Ana Luisa?

Sara y yo nos escribimos.

Mis suegros se quieren mucho.

VERBOS RECÍPROCOS

6.4

> En los verbos recíprocos, dos o más sujetos
> ejecutan la acción y la reciben:
>
> Juan y Rosa se pelearon.
>
> (Juan peleó con Rosa y Rosa peleó con Juan).
>
> Podemos reconocerlos por medio de la palabra
> <u>mutuamente</u>.

IX. FORMA UNA ORACIÓN.

Ej. El perro no quiere al gato. El gato no quiere al perro.
El perro y el gato <u>no se quieren</u>.

1. Rosa no entiende a Luis. Luis no entiende a Rosa.
2. Sara me escribe. Yo le escribo a Sara.
3. Conozco al doctor. Él me conoce.
4. Elsa se despide de Rosa. Rosa se despide de Elsa.
5. Le ayudo a María. Ella me ayuda a mí.
6. Carlos quiere a Tere. Tere quiere a Carlos.
7. Sara no conoce a Luis. Luis no conoce a Sara.
8. No le hablo a Roberto. Roberto no me habla.
9. Elena pelea con Juan. Juan pelea con Elena.
10. Me despido de Ana. Ella se despide de mí.

X. CONTESTA.

Ej. ¿Se saludan Roberto y Sara?
Sí, son muy amigos. (No, no se saludan).

1. ¿Se conocen Ana Luisa y Jorge?
2. ¿Se escriben Sara y tú?
3. ¿Se encuentran ustedes a veces?
4. ¿Se quieren Rosa y Jorge?
5. ¿Se pelearon Verónica y Ana?
6. ¿Se visitan tu mamá y tu tía?
7. ¿Se escriben ustedes con frecuencia?
8. ¿Se entienden Luis y Carmen?
9. ¿Se enamoraron Rosa y Mario?
10. ¿Se ayudan Roberto y Carlos?

Dicen que ese hombre nació en 1880.

Dicen que el edificio está inclinado.

Dicen que hay que cuidar los parques.

Dicen que el hombre está muerto.

Dicen que encendieron fuego en la montaña.

Dicen que quizá hay petróleo allí.

DICEN QUE

6.5

> La forma dicen que se usa
> cuando el sujeto es desconocido,
> indefinido.
>
>   Dicen que hay petróleo.
>
> (No sabemos o no nos interesa
>   quién lo dice).

XI. REPITE LA ORACION. USA DICEN QUE. . .

    Ej. Hay petróleo cerca de aquí.
        Dicen que hay petróleo cerca de aquí.

1. Ese actor nació en Guatemala.

2. Hay fuego en la montaña.

3. Hay mucho smog en las ciudades grandes.

4. Debemos cuidar a los niños.

5. Éste es un sitio ideal para vivir.

6. Hay petróleo en esa zona.

7. Quizá hay vida en otros planetas.

8. Hay bellas leyendas prehispánicas.

9. La iglesia está inclinada.

10. Va a haber muchas lluvias.

CONVERSACIÓN

Los volcanes se llaman Iztaccíhuatl y Popocatépetl.
Como son nombres indígenas, difíciles de decir, incluso para los mexicanos, les dicen el Izta y el Popo.
Dice la leyenda que el Izta era una bellísima princesa que se enamoró de un capitán. Cuando el padre de la princesa lo supo, habló con el capitán y le dijo: "Si vas a la guerra, eres valiente y regresas, te casarás con mi hija la princesa". El capitán se fue, peleó muchos años y regresó vencedor. Lo recibieron con grandes fiestas pero faltaba la princesa que estaba muerta, acostada en la tierra, bajo el sol. Popocatépetl entonces levantó una montaña altísima y allí puso a la princesa muerta. Luego encendió un fuego y se quedó allí para siempre a cuidar a Izta. Ésta es la leyenda de los volcanes, que quizá nació porque efectivamente parecen una mujer acostada y un hombre inclinado a su lado.

XIII. CONTESTA

1. ¿Cómo se llaman los volcanes?
2. ¿Cómo les dicen?
3. ¿Quiénes eran el Popo y el Izta?
4. ¿De quién se enamoró el capitán?
5. ¿Qué dijo el padre de la princesa?
6. ¿Fue a la guerra el capitán?
7. ¿Qué pasó cuando regresó?
8. ¿Qué hizo entonces el capitán?
9. ¿Por qué nació esta leyenda?
10. ¿Conoces algún volcán?
11. ¿Te gustan los volcanes?
12. ¿Hay volcanes en tu país?

—Mira, ése es uno de mis monumentos favoritos. ¿Cómo se llama?
—"El Caballito".
—¿De veras? ¡Qué raro! ¿Y el hombre que está sobre el caballo?
  ¿Quién es? ¿Por qué no lleva su nombre?
—No estoy segura, es un rey español; creo que Carlos IV*. Pero
  toda la gente conoce la estatua como "El Caballito". Sé que es
  una escultura muy valiosa.
—¿Sabes quién la hizo?
—Sí, Tolsá, un escultor de principios del siglo diecinueve. A mí
  también me gusta, pero además cada vez que la veo me da risa
  porque me recuerda cuando aprendí a manejar.
—¿Por qué?
—Luego te cuento. Ahora corre al correo que está en esa esquina
  mientras yo busco a Juan en el banco.

---

* (Cuarto)

Estaciona el coche allí, a la izquierda.
Pregunta el precio de la gasolina.
Lee los letreros con cuidado.
Da vuelta en la glorieta.
Sube por el elevador.

Discuta usted con el empleado.
Pague la multa en el banco.
Contrate usted un instructor.
Insista usted en ver al dueño.
Dé usted vuelta a la derecha.

Estudien las reglas de tránsito.
No insistan en esa locura.
Vivan ustedes esa aventura.
Admiren este monumento célebre.
Pregunten sobre el crimen.

EL IMPERATIVO

SE USA

- Para dar órdenes o consejos:

  Da vuelta en la esquina.
  Tome usted esta medicina.

- Para pedir favores:

  Abre la puerta, por favor.

7.1

SE FORMA	AR	ER - IR
	a (tú)	e
	e (usted)	a
	en (ustedes)	an

El imperativo sólo se usa con la segunda persona, singular y plural:

    (tú)   Compra la medicina.
    (usted)   Compre la medicina.
    (ustedes) Compren la medicina.

Cuando se usa el pronombre personal (tú, usted, ustedes), se coloca después del verbo. Esto se hace para dar énfasis:

    Compra tú la medicina.

o por cortesía:

    Compre usted las medicinas.

I. CAMBIA AL IMPERATIVO.

A. Ej. Compras la verdura.
      Compra la verdura.

(TÚ)
1. Discutes el precio.
2. Rompes la caja.
3. Estacionas el coche.
4. Quieres a tu amiga.
5. Contratas un instructor.
6. Vendes tu camioneta.
7. Insistes en verlo.
8. Interrumpes la conversación.
9. Levantas los papeles.
10. Peleas con ese muchacho.
11. Das vuelta a la derecha.
12. Cantas en portugués.

B. Ej. Visita a su amigo.
      Visite usted a su amigo.

(USTED)
1. Lee esas oraciones
2. Da vuelta en la esquina.
3. Pelea con su amigo.
4. Discute con el dueño.
5. Aprende el imperativo.
6. Cuida a los niños.
7. Contrata un carpintero.
8. Mata esas moscas.
9. Insiste en esa locura.
10. Observa los planetas.
11. Estaciona el coche aquí.
12. Pasa en limpio la tarea.

C. Ej. Contratan un albañil.
      Contraten ustedes un albañil.

(USTEDES)
1. Estudian las reglas.
2. Abren las cajas.
3. Dan vuelta a la derecha.
4. Preguntan sobre el crimen.
5. Recogen los papeles.
6. Admiran la escultura.
7. Discuten los precios.
8. Cuidan su ropa.
9. Viven una aventura.
10. Contratan un escultor.
11. Venden esos caballos.
12. Estacionan el coche en la esquina.

II. CAMBIA AL IMPERATIVO.

Ej. <u>Tú escribes</u> en español.   <u>Escribe</u> en español.
    <u>Usted escribe</u> en español.   <u>Escriba</u> usted en español.
    <u>Ustedes escriben</u> en español.   <u>Escriban</u> ustedes en español.

1. Cuidas a tus niños.
2. Ustedes comen mucha fruta.
3. Lees en voz alta.
4. Usted estaciona bien el coche.
5. Manejas con cuidado.
6. Ustedes discuten los precios.
7. Subes por la escalera.
8. Ustedes reciben a las visitas.
9. Usted vende sus caballos.
10. Vives una aventura.
11. Usted insiste en saberlo.
12. Ustedes viajan en avión.
13. Usted asiste a la conferencia.
14. Das vuelta en la glorieta.
15. Usted mata las moscas.
16. Ustedes aprenden español.
17. Usted cose en máquina.
18. Ustedes contratan a un escultor.
19. Usted cree en esa persona.
20. Rompes esos papeles.

III. CAMBIA AL IMPERATIVO.

Ej. <u>La señora arregla</u> a la niña.
    Señora, <u>arregle</u> a la niña.

    <u>María arregla</u> a la niña.
    María, <u>arregla</u> a la niña.

1. El doctor llega a tiempo.
2. Elena estaciona el coche aquí.
3. El maestro discute el precio.
4. Los muchachos insisten en verlo.
5. La señora contrata un albañil.
6. Rosa da vuelta en la esquina.
7. María y Tere cuidan a los niños.
8. El señor recibe los papeles.
9. Carmen maneja despacio.
10. La señorita sube por el elevador.
11. Los niños aprenden guitarra.
12. Ana Luisa cose la blusa.

> ATENCIÓN:
>
> Con los nombres de las personas, generalmente usamos <u>tú</u>.
>
>   Jorge lava el coche.
>   Jorge, lava el coche.
>
> Sólo cambia la entonación.

Duerme con las ventanas abiertas.
Recuerden el vocabulario básico.
Devuelva este valioso reloj.
Vuelvan a las cuatro en punto.

Consigue unos caballos.
Despidan a esos muchachos.
Sirva usted la cena aquí.
Repitan estas frases.

DIPTONGACIÓN Y CAMBIO DE VOCAL EN EL IMPERATIVO

> Los verbos irregulares por diptongación y cambio de vocal, conservan la irregularidad en todas las formas del imperativo.

7.2

IV. COMPLETA. USA EL IMPERATIVO.

1. Lupe, _____ con tu hermanito.
   jugar
2. Policía, _____ usted ese crimen.
   impedir
3. Muchachos, _____ la luz por favor.
   encender
4. Ana Luisa, _____ a los señores.
   despedir
5. _____ ustedes las reglas de tránsito.
   recordar
6. María, _____ a los niños ahorita.
   vestir
7. _____ ustedes estas oraciones.
   repetir
8. Rosa, _____ al niño a las siete.
   despertar
9. Muchachos, _____ esos precios.
   corregir
10. _____ usted los ejercicios básicos.
    resolver
11. _____ usted un libro de principios de siglo.
    conseguir
12. María, _____ un lugar para las vacaciones.
    sugerir

¿Por qué estás preocupada?
Porque me dio miedo el accidente.

¿Te dio coraje la conversación de Luis?
No, me dio tristeza.

¿Por qué no fuiste a la reunión?
Me dio flojera y me acosté.

¿Les dio mucha risa el payaso a los niños?
Sí, estaban muy emocionados.

DAR

(ALGUNOS USOS)

7.3

DAR + SUSTANTIVO	DAR
Me da pena el niño. Me dan pena los niños. En estas construcciones se usa siempre un pronombre de objeto indirecto. Se usan igual que gustar, sólo en tercera persona, singular o plural.	risa dolor pena miedo pánico asco coraje tristeza frío calor hambre

V. SUSTITUYE.

Ej. Le dio risa la película.
   (los payasos)
   Le dieron risa los payasos.

A. El aguacate nos da dolor de estómago.
   (las fresas) (esa medicina) (el tequila)
   (los plátanos) (esa fruta) (los exámenes)

B. Me dio hambre el olor de la comida.
   (la fruta) (los duraznos) (la cerveza)
   (esas medicinas) (el calor) (la botana)

C. Le dan miedo los animales.
   (el examen) (los gatos) (el fuego)
   (los perros) (el agua fría) (los aviones)

D. Me dan pánico los accidentes.
   (el dentista) (las guerras) (la ambulancia)
   (los crímenes) (esta conversación) (esos ruidos)

E. Les dio asco ese olor.
   (las medicinas) (esa fruta) (las moscas)
   (esa ensalada) (los vasos sucios) (ese hotel)

F. Nos dio risa la historia del fraile.
   (los payasos) (el bebé) (los gatitos)
   (sus mentiras) (tu idea) (tus locuras)

G. A Elena le dio tristeza la noticia.
   (esos poemas) (la guerra) (las películas)
   (ese pueblo) (las canciones) (tu problema)

H. El tequila les da calor.
   (el vino) (los sarapes) (el poncho)
   (las fogatas) (el café) (las telas sintéticas)

¿Te da risa recordarlo?

Le da coraje esperar mucho.

Nos da pena llegar tarde.

Me da frío verte sin suéter.

RECUERDA:

Cuando el sujeto es
un infinitivo, el
verbo va en singular.

VI. CONTESTA. USA UN INFINITIVO COMO SUJETO.

    Ej. ¿Qué te dio miedo?
        Me dio miedo oír ese ruido.

    1. ¿Qué le dio hambre?

    2. ¿Qué le dio frío?

    3. ¿Qué te dio risa?

    4. ¿Qué les dio miedo?

    5. ¿Qué te dio coraje?

    6. ¿Qué le dio pena?

    7. ¿Qué les dio hambre?

    8. ¿Qué te dio tristeza?

VOCABULARIO

7.4

El policía está cuidando el banco.

La policía está preocupada por los asaltos.

Esta señora gasta mucho dinero.

Los muchachos pasan las vacacion en la playa.

La señora pasa por los niños a la escuela.

Esta historia pasó hace muchos años.

La señora espera seis invitados. Tiene suficientes vasos.

Espera diez invitados. Tiene bastantes vasos.

Tu coche es igual al mío.

¿Es el mismo coche de ayer?
Sí, claro. Sólo tengo uno.

Dame las llaves del coche.

Cierra la llave. Está goteando.

Este hombre es muy valiente.

Este hombre no es valiente,
es cobarde.

Los Gómez tienen un perro
muy bravo.

Entra sin miedo. El perro
es manso.

CONVERSACIÓN

VIII. LEE

—Elena, ¿por qué te da risa "El caballito? ¿Por qué te recuerda cuando aprendiste a manejar?"

—Te voy a contar, David; así conocerás un poco a mi papá. Una mañana a las seis apareció en mi recámara: "Despierta, Elena. Nos vamos en diez minutos. Te voy a comprar un coche".
Yo no lo podía creer. Me levanté y me arreglé en un segundo. Llegamos a la agencia, mi papá vio el coche, discutió el precio y lo compró. Yo estaba muy emocionada. De pronto papá me dijo: "Sabes manejar, ¿verdad?".
"Claro", dije yo, pero no sabía. Entonces, él se fue a su trabajo y yo me quedé allí dueña de un coche que no podía manejar.
Un empleado me explicó un poco y me fui. Fue un día lleno de aventuras. Mi mamá casi se muere. "Esto es un crimen" decía. En la noche mis papás discutieron mucho. Mi mamá estaba preocupada, insistía en que era una locura.
Mi papá entonces dijo la frase célebre de su vida: "Estoy de acuerdo: fue una locura. Pero ya pasó. En la mañana no sabía manejar, pero ahora ya sabe". Después me dijo: "Ahora voy a darte unas reglas básicas; con la experiencia de hoy y estas reglas no tendrás ningún problema".

—¿Cuáles eran las reglas?
—Sólo me acuerdo de una: "Antes de estacionarte debes estar
absolutamente segura de que no hay un letrero de "No estacionarse".
—¿Por qué recuerdas esto con "El caballito"?
—Ah, porque al día siguiente me estacioné allí. Antes le di dos
vueltas a la glorieta, vi que no había letrero; pero cuando regresé
el coche no estaba.
Mi papá tuvo que ir a la oficina de tránsito a recogerlo, pagar
multas y esperar varias horas. Al día siguiente contrató a un
instructor que me enseñó a manejar.

IX. CONTESTA.

1. ¿Qué es "El Caballito"?

2. ¿Qué le recuerda a Elena?

3. ¿Qué sucedió una mañana?

4. ¿Qué hizo Elena?

5. ¿Qué le preguntó el papá en la agencia?

6. ¿Sabía manejar Elena?

7. ¿Qué hizo el empleado?

8. ¿Cómo fue el día?

9. ¿Qué dijo la mamá?

10. ¿Qué pasó entonces?

11. ¿Cuál fue la frase célebre del papá?

12. ¿Qué regla le dio a Elena?

13. ¿Qué hizo Elena al día siguiente?

14. ¿Adónde tuvo que ir el papá?

15. ¿Qué hizo el papá al día siguiente?

16. ¿Cómo aprendiste a manejar?

—¡Está rica la carne!

—Te gusta la comida mexicana, ¿verdad?

—Sí, en general, me gusta. Claro que no toda. La comida muy picante, por ejemplo.

—Si te gusta, aprende a guisar.

—Sí, quiero aprender.

—La comida es muy diferente, ¿no?

—Sí, pero no sólo la comida, también los horarios, la cantidad de comida y el tiempo para comer.
El desayuno es más o menos igual.
La comida y la cena son muy diferentes.

—¿Cuál es la principal diferencia?

—Creo que los horarios. Mira nosotros comemos un sándwich, una ensalada, o algo así, a las doce.
Regresamos a la casa como a las cinco y media y, alrededor de las seis, hacemos nuestra comida principal.
Aquí comen a las dos y media o tres una comida muy fuerte, toman café con mucha calma, platican y algunos hasta duermen siesta después de comer.
Conozco a muchas personas que regresan a trabajar a la hora en que los americanos salen de trabajar.

Señora, prepare la salsa con tomate.
No caliente la comida todavía.

Frían* unos huevos para Teresa.
No corten las cebollas.

Señora, agregue un poco de sal.
No use las cacerolas nuevas.

Muevan* la sopa de vez en cuando.
No escriban la receta aquí.

Compre un kilo de carne de res.
No corten la carne en rebanadas delgadas.

Cueza* las papas en lumbre suave.
No agreguen los pimientos medianos.

Abra una lata mediana de aceitunas.
No abra la lata de chiles.

Preparen un poco de puré.
No agreguen la pimienta todavía.

Pique el ajo en pedacitos chicos.
No corte el ajo en pedazos grandes.

Frían los huevos en mantequilla.
No frían el jamón en aceite.

EL IMPERATIVO

(FORMAS NEGATIVAS)

8.1

Coma usted chile.
No coma usted chile.

Platiquen con Lupe.
No platiquen con Lupe.

> Con las personas usted
> y ustedes se usa la
> misma forma para
> afirmativo y negativo.

> * Verbo irregular

I. CAMBIA AL NEGATIVO.

Ej. Agregue un poco de sal.
No agregue un poco de sal.

1. Caliente la sopa, por favor.
2. Fría el jamón en mantequilla.
3. Cambien el horario de la clase.
4. Agregue rebanadas de cebolla.
5. Platiquen en voz baja.
6. Cueza la carne en lumbre suave.
7. Corten el tomate en pedazos medianos.
8. Sirva comida muy picante.
9. Frían los huevos con jamón.
10. Prepare puré de papa.

II. CAMBIA AL AFIRMATIVO.

Ej. No piquen la cebolla en pedazos.
Piquen la cebolla en pedazos.

1. No mueva la sopa así.
2. No agreguen los pimientos.
3. No pique el ajo aquí.
4. No abran la lata de aceitunas.
5. No cueza la carne sin sal.
6. No agreguen un poco de chile.
7. No prepare una salsa mexicana.
8. No platiquen en la cocina.
9. No lave las cacerolas ahorita.
10. No escriban estas recetas.

Prepara unos huevos con jamón.
No prepares sopa hoy.

Agrega cebolla y tomate rebanados.
No agregues el ajo todavía.

Mueve la salsa un poco.
No muevas mucho el puré.

Cuece la carne en lumbre suave.
No cuezas la verdura.

Fríe un rato la cebolla.
No frías el pimiento en aceite.

Sirve la carne con papas.
No sirvas la ensalada ahorita.

EL IMPERATIVO

(NEGATIVO DE TÚ)

8.2

Con la persona **tú** se
usan formas diferentes
para el afirmativo y
el negativo:

Mueve un poco la sopa.
No muevas la sopa, por favor.

Agrega la pimienta.
No agregues la pimienta.

	AR	ER-IR
	a	e
	es	as

III. CAMBIA AL NEGATIVO.

Ej. <u>Calienta</u> la comida.
<u>No calientes</u> la comida.

A. (AR)

1. Platica con Margarita.
2. Usa esta cacerola.
3. Calienta la sopa.
4. Cambia tu horario.
5. Guisa con poco aceite.
6. Pica el ajo en pedacitos.
7. Contrata un empleado.
8. Agrega la pimienta.
9. Estaciona el coche aquí.
10. Pasa por los niños.

B. (ER-IR)

1. Escribe la receta.
2. Come carne de res.
3. Duerme una siesta.
4. Discute con calma.
5. Fríe el huevo en aceite.
6. Aprende a guisar.
7. Mueve un poco la sopa.
8. Vende tu bicicleta.
9. Cuece las papas.
10. Interrumpe la conversación.

IV. CAMBIA AL AFIRMATIVO.

Ej. No muevas la sopa.
    Mueve la sopa.

A. (AR)

1. No gastes mucho dinero.
2. No piques los pimientos.
3. No guises con calma.
4. No cortes las papas en rebanadas.
5. No uses estas cacerolas.
6. No prepares carne de res.
7. No calientes el puré.
8. No guises en lumbre suave.
9. No agregues las aceitunas.
10. No platiques en la cocina.

B. (ER-IR)

1. No cuezas la carne.
2. No consigas gasolina.
3. No escribas esa receta.
4. No consigas las cebollas.
5. No insistas en esa locura.
6. No frías el huevo en aceite.
7. No comas puré de manzana.
8. No discutas los precios.
9. No duermas la siesta ahorita.
10. No repitas esa frase.

V. CAMBIA AL IMPERATIVO.

Ej. La señora fríe la cebolla.
    Señora, fría la cebolla.

1. Margarita corta los pimientos.
2. Los niños juegan en el parque.
3. Usted guisa muy rápido.
4. Rosa calienta la comida.
5. María y Elsa preparan la salsa.
6. Usted cuece los tomates.
7. Las muchachas agregan sal y pimienta.
8. Tere lava las cacerolas.
9. Las muchachas guisan en lumbre suave.
10. Usted sirve comida muy picante.

VI. CAMBIA AL IMPERATIVO.

A. Ej. La señora no sirve comida mexicana.
       Señora, no sirva comida mexicana.

(USTED)

1. El ingeniero no estaciona su coche aquí.
2. El señor no platica con la secretaria.
3. La señorita no calienta la sopa.
4. La señora no guisa comida española.
5. El doctor no pasa por ellos.
6. El señor no contrata a esos albañiles.
7. La señora no fríe el ajo y la cebolla.
8. El ingeniero no insiste en venir.
9. La señorita no cuece los tomates.
10. El doctor no recibe visitas hoy.

95

B. Ej. Los muchachos no platican aquí.
Muchachos, no platiquen aquí.

(USTEDES)

1. Ana y Rosa no mueven la sopa.
2. Los señores no pasan por los niños.
3. Las señoritas no cambian el horario.
4. Los niños no juegan con la lumbre.
5. Las señoras no sirven la comida.
6. Las niñas no llegan tarde.
7. Los señores no duermen la siesta.
8. Los muchachos no gastan mucho dinero.
9. Las señoritas no discuten con el empleado.
10. Los niños no comen la carne.

C. Ej. María no mueve la sopa.
María, no muevas la sopa.

(TÚ)

1. Elena no fríe las cebollas.
2. Juan no come mantequilla.
3. Martha no usa esas cacerolas.
4. Roberto no platica mucho.
5. Carlos no pasa por el mercado.
6. Elsa no saluda a nadie.
7. Tere no gasta mucho dinero.
8. Rosa no cose la ropa.
9. María no discute con el policía.
10. Ricardo no insiste en esa locura.

VII. CAMBIA AL IMPERATIVO.

Ej. Luisa toca el piano. No toca la guitarra.
Luisa, toca el piano; no toques la guitarra.

1. Juan maneja despacio. No maneja rápido.
2. María corta la carne. No corta el jamón.
3. Rosa calienta la sopa. No calienta el puré.
4. Luis pasa por los niños. No pasa por mí.
5. Elena fríe los huevos. No fríe las cebollas.
6. Carlos platica con Elena. No platica conmigo.
7. Elena ayuda a Rosa. No ayuda a Juan.
8. David visita el museo. No visita el centro.
9. Jorge escribe la receta. No escribe las canciones.
10. Ana duerme una siesta. No duerme toda la tarde.

Te queda bien el color azul.
No te queda el verde.

Les gustan los hombres valientes.
No les gustan los cobardes.

¿Vas a comprar la mesita antigua?
No, voy a comprar la moderna.

No quiero el pedazo grande.
Prefiero el mediano.

EL ADJETIVO

(SUSTANTIVACIÓN)

8.3

Los adjetivos (modificadores del sustantivo) pueden usarse como sustantivos precedidos de un artículo:

Me gusta el color rojo
pero el verde no.

(el verde es una forma abreviada de decir el color verde, la palabra color se entiende por el contexto).

Quiero el grande.

Necesitamos el mediano.

Prefieren el chico.

VIII. CAMBIA COMO EN EL EJEMPLO.

Ej. Me gusta la blusa roja.
Me gusta la blusa roja pero la negra no.

1. Le dan miedo los perros bravos.
2. Me encantan los pájaros amarillos.
3. Le lastiman los zapatos nuevos.
4. Nos sirve la caja mediana.
5. Me duele la mano derecha.
6. Les simpatiza la enfermera francesa.
7. Le molestan los animales sucios.
8. Nos estorba el coche grande.
9. Me queda la falda negra.
10. Le interesa la escultura moderna.

IX. CONTESTA.

Ej. ¿Quieres el plato verde?
No, prefiero el azul.

1. ¿Les gustan las casas coloniales?
2. ¿Vas a comprar el vestido largo?
3. ¿Le interesa el arte moderno?
4. ¿Te duele la pierna derecha?
5. ¿Te gustó la película francesa?
6. ¿Quieres la blusa chica?
7. ¿Va a comprar los zapatos baratos?
8. ¿Necesitas la caja grande?
9. ¿Les gusta la muchacha rubia?
10. ¿Te simpatiza el maestro colombiano?

Me gusta el melón fresco
pero el de lata no.

Necesitamos el libro de geografía
pero el de historia no.

Compraron el reloj de oro,
no quisieron el de plata.

¿Quieres la tela de poliéster?
No, quiero la de seda.

EL DE...

(SUSTANTIVACIÓN)

> Los modificadores del sustantivo que se introducen con de, también pueden sustantivarse. Se antepone un artículo definido.

Quiero la falda de lana.

No quiero la de algodón.

X. CAMBIA. USA EL DE, LA DE, LOS DE, LAS DE.

    Ej. Me interesa la clase de español.
       No me interesa la de historia.

1. Nos gustan las telas de seda.
2. Quieren ver el museo de historia.
3. Necesitamos el libro de antropología.
4. Nos gusta la sopa de cebolla.
5. Voy a comprar el poncho de Perú.
6. Ellos toman el jugo de toronja.
7. Quiero comprar el reloj de plata.
8. A Carlos le gustan las chamarras de piel.
9. Me interesan las novelas de aventuras.
10. Nos simpatiza la maestra de biología.

XI. CONTESTA. USA EL DE, LA DE, LOS DE, LAS DE.

    Ej. ¿Qué películas te gustan?
       Las de aventuras.

1. ¿Qué blusa prefieres?
2. ¿Cuál es tu sopa favorita?
3. ¿Qué libros te interesan?
4. ¿Cuál es la mejor clase?
5. ¿Qué abrigo quieres?
6. ¿Qué música te gusta?
7. ¿Cuál es tu bolsa?
8. ¿Qué platos vas a comprar?
9. ¿Qué chamarra prefieres?
10. ¿Qué telas van a escoger?

¿Ya se fue Ana?
No, todavía no.

¿Todavía estudias francés?
No, ya no. Terminé el año pasado.

¿Ya viste esa película?
Sí, ya la vi.

¿Trabajas en el banco todavía?
No, ya no. Ahora estoy en una oficina.

¿Todavía no regresa Luis?
No, todavía no.

¿Ya está bien el bebé?
No, todavía está llorando.

¿Todavía no terminas?
Sí, ya terminé.

¿Por qué no tomas una aspirina?
Porque ya no me duele.

YA – TODAVÍA

8.5

YA	NEGATIVO	AFIRMATIVO
Ya no llora. Ya llegué.	● Final de una acción continua.	● Acción realizada y terminada en el pasado.

TODAVÍA	NEGATIVO	AFIRMATIVO
Todavía no llega. Todavía está llorando.	● Acción esperada que no se ha realizado.	● Acción continua que empezó en el pasado y llega hasta el presente.

XII. CAMBIA COMO EN EL EJEMPLO.

Ej. Llovió toda la tarde.
Ya no llueve.

1. Me gustaba mucho vivir aquí.
2. Había mucho tráfico en esa avenida.
3. Estuvieron discutiendo mucho tiempo.
4. Les dolió mucho el estómago.
5. Luis molestaba mucho a su hermana.
6. Elena estuvo planchando toda la tarde.
7. Recordaba mucho a Roberto.
8. Hizo mucho calor en el centro.
9. Esa llave goteaba todo el tiempo.
10. Antes nos acostábamos a las ocho.

XIII. CONTESTA EN FORMA AFIRMATIVA.

Ej. ¿Ya regresó Carlos?
Sí, ya regresó.

1. ¿Ya terminaron la tarea?
2. ¿Ya viste esa exposición?
3. ¿Ya devolvieron los libros?
4. ¿Ya capturaron al hombre?
5. ¿Ya encendieron la fogata?
6. ¿Ya está claro el cielo?
7. ¿Ya lavaste los zapatos tenis?
8. ¿Ya abrieron la caja?
9. ¿Ya trajo usted la leña?
10. ¿Ya te contó la historia?

XIV. CAMBIA COMO EN EL EJEMPLO.

Ej. Vivo aquí hace cuatro años.
Todavía vivo aquí.

1. Luis trabaja en el banco hace mucho.
2. Se están asoleando hace un rato.
3. Está llorando hace una hora.
4. Enseño español hace quince años.
5. Está nevando hace una semana.
6. Come en ese restaurant hace mucho.
7. Compro en esta tienda hace varios años.
8. La llave gotea hace varios días.
9. Estudiamos alemán hace tres meses.
10. Estoy buscando mis llaves hace una hora.

XV. CONTESTA EN FORMA NEGATIVA.

Ej. ¿Ya vendiste el coche?
No, todavía no lo vendo.

1. ¿Ya consiguieron los discos?
2. ¿Ya arreglaste la grabadora?
3. ¿Ya encontró usted su impermeable?
4. ¿Ya calentaste la comida?
5. ¿Ya se lavaron los dientes?
6. ¿Ya terminaste tu trabajo?
7. ¿Ya regresaron tus suegros?
8. ¿Ya planchaste toda la ropa?
9. ¿Ya picaron las cebollas?
10. ¿Ya freíste la carne?

CONVERSACIÓN

XVI. LEE.

—¿Puedo ayudarla?

—¡Claro que sí! ¿Quieres hacer la carne?

—Por supuesto, además quiero la receta.

—Bueno, escribe los ingredientes.

CARNE A LA MEXICANA*

INGREDIENTES

1 kilo de carne de res cocida y cortada en rebanadas delgadas.
3 cebollas medianas.
3 pimientos verdes.
1 lata mediana de puré de tomate. (500 gramos)
3 chiles de lata.
3 cucharadas de vinagre de los chiles.
1 cucharada de salsa catsup.
1 cucharadita de salsa inglesa.
3 dientes de ajo.
1 taza de caldo (el agua en que se coció la carne).
Aceitunas al gusto.
Sal, laurel, tomillo y mejorana al gusto.

MANERA DE HACERLO

Corta las cebollas en cuatro.

parte los pimientos en rajas.

Calienta un poco de aceite. Fríe la cebolla. Agrega las rajas de pimiento; fríe todo durante diez minutos. Agrega el puré, los chiles, el
vinagre, la catsup, la salsa inglesa, el ajo picado, la sal, el laurel, la mejorana y el tomillo. Ahora, con la lumbre suave, espera a
que esto se fría muy bien (20 minutos aproximadamente). Debes moverlo
de vez en cuando. Después, agrega el caldo, las aceitunas y la carne.
Esto debe estar en lumbre suave unos minutos más.

* a la + adjetivo que expresa nacionalidad,
  significa estilo:
  Chocolate a la francesa.
  (chocolate estilo francés)

103

XVII. DA INSTRUCCIONES PARA PREPARAR.

Un sándwich.

Una ensalada.

Unos huevos con jamón.

Una hamburguesa.

LECCIÓN 9

—Elena quiere casarse,
  papá.
—No te preocupes, Juan;
  está tan loca que no
  conseguirá con quien
  casarse.
—Mamá, defiéndeme*.
—Claro que conseguirás
  con quien casarte: otro
  loco.
  Yo tengo una teoría sobre
  la pareja perfecta.
—No les cuentes tus
  locuras.
—¿Por qué no? Son teorías
  muy buenas. Miren, papá
  y yo conocemos a la
  pareja ideal. ¿Saben
  cuál es su secreto? Tienen
  los mismos defectos.
  Cuando una persona tiene
  un defecto no le molesta
  si otra lo tiene también.
—Suena un poco raro.
—Sin embargo, es verdad.
  Emilio y Bertha, la
  pareja ideal, son muy
  felices y se entienden
  perfectamente.

* Verbo irregular

105

<u>Lávate</u> las manos en la cocina.

Niños, <u>vístanse</u> rápido.

<u>Arréglense</u> en su cuarto

<u>Despídete</u> de tu tía.

<u>Preocúpense</u> por su problema.

<u>Estaciónate</u> en la esquina.

IMPERATIVO AFIRMATIVO

(PRONOMBRES REFLEXIVOS) **9.1**

Péinate rápido.

Siéntate aquí.

Acuéstense temprano.

> En todas las personas (tú, usted, ustedes) del imperativo afirmativo, el pronombre reflexivo se coloca después del verbo. El pronombre y el verbo forman una sola palabra.

I. SUSTITUYE.

Ej. Límpiate los zapatos.
(usted)
Límpiese los zapatos.

A. Preocúpese por su trabajo.
(tú) (ustedes) (Elena)
(usted) (niños) (tú)

B. Estaciónense en la esquina.
(Bertha) (usted) (tú)
(Rosa) (muchachos) (señora)

C. Lávate el pelo hoy.
(señor) (ustedes) (Emilio)
(niños) (tú) (usted)

D. Despiértense a las seis.
(tú) (Luisa) (muchachos)
(María) (ustedes) (usted)

E. Levántate temprano.
(ustedes) (Carlos) (tú)
(usted) (niños) (Bertha)

F. Quédate en ese hotel.
(muchachos) (Carlos) (tú)
(usted) (ustedes) (Elsa)

G. Siéntese en el piso.
   (Rosa) (ustedes) (tú)
   (usted) (Carlos) (niños)

H. Vístete de largo.
   (ustedes) (Ana) (tú)
   (usted) (muchachas) (Rosa)

I. Báñense en el otro baño.
   (Roberto) (usted) (ustedes)
   (tú) (muchachos) (Carmen)

J. Cásense en secreto.
   (tú) (muchachos) (usted)
   (Bertha) (ustedes) (Emilio)

K. Arréglate con cuidado.
   (usted) (María) (ustedes)
   (tú) (muchachas) (Elena)

L. Quéjese con el dueño.
   (tú) (Roberto) (usted)
   (Luis) (ustedes) (Carmen)

II. CAMBIA AL IMPERATIVO.

A. Ej. María se lava las manos.
       María, lávate las manos.

(TÚ)
1. Carlos se asolea mucho.
2. Lupe se ríe de sus teorías.
3. Rosa se moja los pies.
4. Martha se despide de esa pareja.
5. Margarita se enoja con los niños.
6. Luisa se peina para la fiesta.
7. Bertha se queja de su hijo.
8. María se acuesta temprano.
9. Ana se preocupa por sus defectos.
10. Emilio se levanta tarde.

B. Ej. La doctora se queda aquí.
       Doctora, quédese aquí.

(USTED)
1. La señora se estaciona bien.
2. El ingeniero se queja con el policía.
3. La señora se ríe de esa teoría.
4. El doctor se enoja con su hijo.
5. La señorita se sienta allí.
6. El señor se baña en las noches.
7. La señora se despide del doctor.
8. El ingeniero se casa en agosto.
9. La señorita se acuesta tarde.
10. El doctor se despierta temprano.

C. Ej. Se acuestan temprano.
Acuéstense temprano.

(USTEDES)
1. Se visten muy rápido.
2. Se quedan aquí.
3. Se pintan las uñas.
4. Se mojan los zapatos.
5. Se asolean mucho.
6. Se despiertan a las siete.
7. Se levantan tarde.
8. Se peinan rápido.
9. Se despiden del señor.
10. Se enojan con Luis.

III. CAMBIA AL IMPERATIVO.

Ej. Luisa se arregla en el baño.
Luisa, arréglate en el baño.

1. La señora se arregla en su cuarto.
2. Carmen se pinta los ojos.
3. Ustedes se despiertan tarde.
4. El doctor se preocupa por el niño.
5. Ana se casa en octubre.
6. Los muchachos se quedan en el hotel.
7. El ingeniero se queja con el dueño.
8. Los niños se ríen de esa teoría.
9. Luis se enoja con Carlos.
10. Ustedes se sientan en el piso.
11. El señor se estaciona allá.
12. Carmen se levanta temprano.

Quédate en tu cuarto todo el día.
No te quedes aquí, por favor.

Preocúpense por su clase de dibujo.
No se preocupen por ese trabajo.

Quéjese con el dueño del departamento.
No se queje conmigo.

Lávate el pelo con shampoo.
No te laves con jabón.

IMPERATIVO NEGATIVO

(PRONOMBRES REFLEXIVOS)

No te laves aquí.

No se vista de negro.

No se acuesten tarde.

> En todas las personas del
> imperativo negativo, el
> pronombre reflexivo se coloca
> antes del verbo.

IV. SUSTITUYE.

Ej. No te quedes en el departamento.
   (usted)
   No se quede en el departamento.

A. No te laves con ese jabón.
   (ustedes) (Luis) (usted)
   (tú) (Ana) (ustedes)

B. No se queje del departamento.
   (Carlos) (tú) (usted)
   (Rosa) (ustedes) (María)

C. No se siente en el piso.
   (Elena) (ustedes) (Elsa)
   (usted) (tú) (Roberto)

D. No te cases con ese loco.
   (Bertha) (usted) (María)
   (tú) (usted) (Luisa)

E. No se rían de esa pareja.
   (usted) (Bertha) (tú)
   (Carlos) (ustedes) (Jorge)

F. No se asolee mucho.
   (Javier) (tú) (Martha)
   (usted) (Carmen) (ustedes)

G. No se preocupen por esos dibujos.
   (Pilar) (usted) (Bárbara)
   (tú) (Manuel) (ustedes)

H. No se enoje con Teresa.
   (Ricardo) (tú) (Marcela)
   (usted) (Felipe) (ustedes)

I. No te despidas del dueño.
   (Ana) (usted) (María Eugenia)
   (ustedes) (Manuel) (tú)

J. No se estacionen aquí.
   (Sara) (usted) (Mario)
   (ustedes) (Carlos) (tú)

K. No te quedes en el departamento.
   (Miguel) (ustedes) (Ruth)
   (tú) (Ana Luisa) (usted)

L. No se queje de sus defectos.
   (Pedro) (tú) (Jorge)
   (usted) (Lupe) (ustedes)

V. CAMBIA AL IMPERATIVO.

A. Ej. Bertha no se estaciona aquí.
    Bertha, no te estaciones aquí.

(TÚ)

1. Luis no se levanta a las siete.
2. Elena no se lava con este jabón.
3. Rosa no se preocupa por sus dibujos.
4. Rodolfo no se arregla rápido.
5. Tere no se queja del departamento.
6. Ana no se preocupa por eso.
7. Luisa no se sienta en el piso.
8. Raúl no se queda en esa casa.
9. Verónica no se ríe de la gente.
10. Carlos no se asolea mucho.

B. Ej. La señora no se levanta tarde.
    Señora, no se levante tarde.

(USTED)

1. El doctor no se despierta temprano.
2. El señor no se enoja mucho.
3. La señorita no se asolea.
4. La señora no se estaciona allí.
5. El ingeniero no se preocupa mucho.
6. La doctora no se queda allí.
7. La señora no se lava con ese jabón.
8. El señor no se sienta aquí.
9. La señorita no se baña ahorita.
10. El doctor no se despide de nadie.

C. Ej. Los muchachos no se desayunan rápido.
    Muchachos, no se desayunen rápido.

(USTEDES)

1. No se preocupan por sus gatos.
2. Los muchachos no se asolean mucho.
3. No se quedan en el departamento.
4. No se levantan temprano.
5. Los niños no se sientan allí.
6. Los muchachos no se despiertan a las dos.
7. No se estacionan en la esquina.
8. Los niños no se despiden de María.
9. No se casan este año.
10. No se visten muy rápido.

VI. CAMBIA AL IMPERATIVO.

Ej. Elena no se acuesta tarde.
    Elena, no te acuestes tarde.

1. No se quejan con el dueño.
2. La señora no se pinta las uñas.
3. Rosa no se asolea mucho.
4. El doctor no se acuesta tarde.
5. No se lavan con ese jabón.
6. Bertha no se preocupa mucho.
7. No se enojan con el empleado.
8. El ingeniero no se despierta temprano.
9. Elena no se peina varias veces.
10. No se visten en diez minutos.
11. Ricardo no se ríe de la gente.
12. No se bañan en las mañanas.

110

VII. CAMBIA AL NEGATIVO.

Ej. Siéntate en esta silla.
No te sientes en esta silla.

1. Arréglense en su cuarto.
2. Acuéstate temprano.
3. Vístase rápido.
4. Asoléense en el jardín.
5. Despídete de Margarita.

6. Mójate los pies.
7. Lávense las manos.
8. Siéntese aquí.
9. Estaciónate en la esquina.
10. Preocúpense por su clase.

VIII. CAMBIA AL AFIRMATIVO.

Ej. No se despidan de ese señor.
Despídanse de ese señor.

1. No te acuestes ahorita.
2. No se quejen con el dueño.
3. No se lave con este jabón.
4. No se asoleen mucho.
5. No te quedes en el departamento.

6. No te pintes las uñas.
7. No se sienten aquí.
8. No te preocupes por los dibujos.
9. No se enoje por eso.
10. No te vistas de largo.

Me gusta esa piyama.
Pues cómprala.

No me gusta esa piyama.
Entonces no la compres.

Luis nos debe la renta.
Pues cóbrenle.

Luis no nos debe la renta.
Entonces no le cobren.

Los niños no me oyen.
Pues grítales.

Los niños me oyen bien.
Entonces no les grites.

Quiero té caliente.
Pues caliéntalo.

No quiero té caliente.
Entonces no lo calientes.

EL IMPERATIVO
(O.D. Y O.I.)   9.3

> Los pronombres de o.d. y de o.i.
> con el imperativo, se colocan
> igual que los reflexivos:
> antes del verbo en el negativo:
> No lo compres.
> después del verbo en el afirmativo:
> Cómpralo.

IX. SUSTITUYE EL OBJETO DIRECTO.

Ej. Busca el directorio, por favor.
Búscalo, por favor.

1. Traigan una botella, por favor.
2. Use mi biblioteca.
3. Defiende a tu amigo.
4. Contrata unos albañiles.
5. Griten la verdad.
6. Cobra la renta, por favor.
7. Calienten la sopa, por favor.
8. Compre esa piyama.
9. Enseña tus dibujos, por favor.
10. Estacionen su coche aquí.
11. Sirvan el té.
12. Consigue ese departamento.

X. CAMBIA AL NEGATIVO.

Ej. Recógelos.
No los recojas.

1. Cóbrala.
2. Consíganla.
3. Pídelo.
4. Véndalas.
5. Despiértalo.
6. Defiéndelas.
7. Grítala.
8. Piénsalo.
9. Ayúdenla.
10. Contrátalo.

XI. CAMBIA AL AFIRMATIVO.

Ej. No la compres.
Cómprala.

1. No lo lleven.
2. No los enseñes.
3. No la ayudes.
4. No las despiertes.
5. No lo toque.
6. No los defiendas.
7. No la cobren.
8. No lo pagues.
9. No las lleve.
10. No la busques.

XII. SUSTITUYE EL OBJETO DIRECTO.

A. Ej. Cómprame ese disco.
Cómpramelo.

RECUERDA:
o.i. + o.d.

1. Consígame el directorio.
2. Enséñanos los dibujos.
3. Cuídeme mis gatos.
4. Cuéntanos la historia.
5. Présteme sus libros.
6. Sírvenos sopa.
7. Págueme la renta.
8. Plánchenos la ropa.
9. Prepáranos esa carne.
10. Llévenos los discos.

B. Ej. Llévales el impermeable.
Llévaselo.

RECUERDA:

$$\left.\begin{matrix} le \\ les \end{matrix}\right\} = se + \left\{\begin{matrix} lo \\ la \\ los \\ las \end{matrix}\right.$$

1. Consíguele la dirección.
2. Cóbrenles la renta.
3. Cuídeles el departamento.
4. Pregúntales los teléfonos.
5. Sírveles un té.
6. Agréguele el ajo.
7. Cuídales a los niños.
8. Préstenle una piyama.
9. Páguele la renta.
10. Llévales sus abrigos.

C. Ej. Tráiganos unos sándwiches.
Tráiganoslos.

(ME-TE-LE - NOS-LES)
1. Cómprenme un boleto.
2. Véndale la grabadora.
3. Págales la renta.
4. Consíganos un jabón.
5. Pídanle el favor.
6. Cuídanos el departamento.
7. Cóbrenles el dinero.
8. Llévale el radio.
9. Cánteme esa canción.
10. Plánchenos la ropa.
11. Pregúntenles la verdad.
12. Devuélvame los discos.

XIII. CAMBIA AL IMPERATIVO. SUSTITUYE EL OBJETO DIRECTO.

Ej. La señora le compra una coca a Elenita.
Señora, cómpresela.

1. Rosa nos lava la ropa.
2. El señor les cuida el departamento.
3. Luis le cobra la renta.
4. Margarita me enseña su piyama.
5. La señora nos prepara el desayuno.
6. Ustedes les venden los boletos.
7. Ruth nos canta esas canciones.
8. La señorita le presta el teléfono.
9. Roberto me estaciona el coche.
10. Los muchachos les sirven el té.
11. Lupe nos calienta la comida.
12. El señor me lleva el paquete.

XIV. CONTESTA. USA <u>PRONOMBRES DE O.D. Y DE O.I.</u>

Ej. ¿Me llevo <u>el coche</u>?
SÍ, llé<u>vatelo</u>.

1. ¿Te pago la renta?
2. ¿Les presto la camioneta?
3. ¿Le vendo el boleto?
4. ¿Te preparo la cena?
5. ¿Le canto una canción?

6. ¿Les cuido el departamento?
7. ¿Te compro el jabón?
8. ¿Le plancho la falda?
9. ¿Les llevo los chocolates?
10. ¿Te consigo las tarjetas?

Tomen sus impermeables.

Estos no son <u>los nuestros</u>.

Escojan su candidato.

Bertha ya escogió <u>el suyo</u>.

Hay que hacer los pagos a tiempo.

Yo ya hice <u>el mío</u>.

Voy a votar por mis amigos.

Ellos votaron por <u>los suyos</u>.

POSESIVOS

(SUSTANTIVACIÓN)

Éste no es <u>el mío</u>.

Ésa es <u>la suya</u>.

9.4

Los posesivos también pueden sustantivarse anteponiendo un artículo definido.

XV. COMPLETA. USA <u>EL MÍO</u>, <u>LOS MÍOS</u>, <u>EL TUYO</u>, ETC.

Ej. Éste no es su jabón.
<u>El suyo</u> está en el baño.

1. El señor Robles es nuestro candidato.
2. La señora de verde no es mi tía.
3. Éstas son tus teorías.
4. Ellos tienen sus secretos.
5. Luis no es mi pareja.

6. Aquél es nuestro departamento.
7. Ésta no es tu piyama.
8. Ésos no son sus dibujos.
9. Jorge no es mi candidato.
10. Éstos no son sus discos.

114

XVI. CONTESTA. USA EL MÍO, LOS MÍOS, EL TUYO, ETC.

Ej. ¿Es el señor Moreno tu candidato?
No, el mío es el señor Robles.

1. ¿Son tuyos estos boletos?
2. ¿Es éste el impermeable de Roberto?
3. ¿Vas a votar por nuestro candidato?
4. Éstos son los dibujos de Jorge, ¿no?
5. ¿Ésta es la piyama de la niña?

6. Éste es su departamento, ¿verdad?
7. ¿Son estas las plantas de Sara?
8. ¿Es la bicicleta de Ana?
9. Aquellos jabones son tuyos, ¿no?
10. ¿Son de Luis estos zapatos?

Es una pareja muy peculiar.
Lo importante es que son felices.

Es un empleo perfecto para él.
Lo malo es que necesita más sueldo.

Dicen que Rodolfo es muy rico.
Lo raro es que no gasta su dinero.

Vamos a trabajar mucho hoy.
Lo bueno es que no tengo flojera.

Es un hombre culto y responsable.
Lo inconveniente es su carácter.

LO + ADJETIVO
9.5

lo — Artículo neutro que se usa antes de un adjetivo masculino para convertirlo en un sustantivo abstracto.

Esto es lo importante.

(lo importante significa el aspecto importante, la cosa importante).

XVII. CONTESTA. USA <u>LO + ADJETIVO</u>.

Ej. ¿Qué te gusta de la casa?   Ej. ¿Es un buen dentista?
   Lo moderno.   Sí, lo malo es que es impuntual.

1. ¿Qué te molesta del perro?

2. ¿Son unas personas peculiares?

3. ¿Qué les gusta de este siglo?

4. ¿Es muy rico Roberto?

5. ¿Qué te gusta de la ciudad?

6. Está rica la comida, ¿verdad?

7. ¿Es una buena maestra?

8. La ciudad es muy bonita, ¿no?

9. ¿Es muy grande la escuela?

10. ¿Qué te gusta de Bertha?

XVIII. FORMA DOS ORACIONES.

Ej. Es un hombre culto pero tiene mal carácter.
   Es un hombre culto. <u>Lo malo</u> es que tiene mal carácter.

1. Es una ciudad bonita pero hay contaminación.

2. Es un buen doctor pero es muy impuntual.

3. Son interesantes estos libros pero son muy caros.

4. Es una mujer importante pero está un poco loca.

5. Es una clase buena pero hay que estudiar mucho.

6. Son unas casas bonitas pero no son de mi estilo favorito.

7. Es una pareja perfecta pero tiene ciertas peculiaridades.

8. Es un perro muy bonito pero está un poco sucio.

9. Luis es muy rico pero es un poco raro.

10. La comida está rica pero está un poco picante.

CONVERSACIÓN

XIX. LEE.

Bertha y Emilio son una pareja perfecta.

Nunca se pelean, sus hijos están muy bien, y son una familia feliz.

No son ricos. Emilio trabaja en una fábrica de jabón y Bertha no

trabaja. Tienen ciertas peculiaridades que algunas personas no

entienden, pero ellos sí las entienden, se sienten bien y eso

es lo importante.

En las mañanas Emilio lleva a los niños a la escuela. Sin embargo, a veces Emilio tiene flojera. Entonces se levanta casi dormido y desde la puerta de su recámara grita: "No se levanten, hoy tenemos clase de dibujo". "Clase de dibujo" quiere decir para ellos quedarse en piyama todo el día y no trabajar. Todos se acuestan otra vez y nadie hace nada. Bertha no cocina; comen cualquier cosa; oyen el radio, duermen, leen.

Emilio cobra su sueldo cada quince días. Con ese dinero pagan la renta del departamento, la comida y los gastos de la casa. Sin embargo, a la hora de la comida del día que cobra su sueldo,

Emilio dice:

—Somos una familia muy democrática, ¿verdad?

—Claro que sí.

—Pues vamos a votar: "Renta o Acapulco".

En la familia, esto quiere decir que escogen entre pagar la renta de ese mes o irse a la playa con ese dinero, por tres o cuatro días.

Obviamente todos los niños y Bertha votan por Acapulco, y se van muy contentos a la playa.

Necesitan dos o tres meses para pagar la renta a tiempo otra vez; pero un poco después vuelven a votar: "Renta o Acapulco".

—¿Y tú piensas que esta gente tan irresponsable es un modelo de familia?

—Pues sí, en cierta manera, lo pienso.

XX. CONTESTA.

1. ¿Cómo son Bertha y Emilio?
2. ¿Se pelean con frecuencia?
3. ¿Son ricos?
4. ¿Crees que ser rico es ser feliz?
5. ¿En dónde trabaja Emilio?
6. ¿Y Bertha?
7. ¿Cuántos hijos tienen?
8. ¿Qué hace a veces Emilio?
9. ¿Es una buena idea?
10. ¿Qué pasa cuando cobra su sueldo?
11. ¿Qué piensas de esto?
12. ¿Son felices Emilio y Bertha?
13. ¿Piensas que son irresponsables?
14. ¿Gastas el dinero de la renta en otra cosa?
15. ¿Por qué?
16. ¿Vas a la playa con frecuencia?

LECCIÓN 10

—David está muy impresionado con la historia de Bertha y Emilio, mamá.

—No me digas. ¿Por qué, David?

—No exactamente impresionado, señora. El otro día estuvimos platicando y discutiendo, pero es difícil explicar mis pensamientos. Por una parte, estoy de acuerdo con usted: lo importante es que ellos se entienden y son felices. Pero, por otra, considero que son flojos e irresponsables. Pienso en sus hijos, ¿cómo van a ser de grandes? ¿Usted cree que sus papás les dan buen ejemplo?

—Creo que es difícil para ti entender esto. Sin embargo, hay que analizar muchos aspectos del carácter del mexicano para comprenderlo.

—Sí, claro, tiene usted razón. Hay que verlo como otra forma de entender la vida. Sólo estando aquí, y viendo la cultura de cerca puedo entender ciertas cosas. Pero de todos modos las ideas de Emilio y Bertha no son las mías.

—No, tampoco las mías. Pero las entiendo y, en cierta forma, las respeto.

Di algo sobre el carácter del mexicano.
No digas nada sobre su religión.

Vea todos los detalles de la pintura.
No vea sólo el aspecto general.

Vaya usted afuera a ver las danzas.
No vayas adentro, no hay nadie.

Haz un estudio sobre el mexicano.
Interpreta sus rasgos principales.

Oigan estos discos nuevos.
Son una muestra del mestizaje latinoamericano.

EL IMPERATIVO

(VERBOS IRREGULARES)

10.1

ALGUNOS VERBOS IRREGULARES EN EL IMPERATIVO

DECIR	ESTAR	HACER	IR
di	está	haz	ve
no digas	no estés	no hagas	no vayas
diga	esté	haga	vaya
digan	estén	hagan	vayan
OÍR	PONER	SABER	SALIR
oye	pon	sabe	sal
no oigas	no pongas	no sepas	no salgas
oiga	ponga	sepa	salga
oigan	pongan	sepan	salgan
SER	TENER	VENIR	VER
sé	ten	ven	ve
no seas	no tengas	no vengas	no veas
sea	tenga	venga	vea
sean	tengan	vengan	vean

I. SUSTITUYE.

Ej. María, ven un momentito.
    (señora)
    Señora, venga un momentito.

A. Tenga un poco de calma.
   (Rosa) (muchacha) (Elsa)
   (tú) (usted) (ustedes)

B. Sepa todos mis pensamientos.
   (tú) (María) (ustedes)
   (señora) (usted) (Bertha)

C. Salgan sin hacer ruido.
   (Emilio) (niños) (usted)
   (tú) (Ana) (ustedes)

D. Di algo sobre tu carácter.
   (doctor) (Bertha) (ustedes)
   (Mario) (muchachos) (usted)

E. Sea un poco más responsable.
   (tú) (Emilio) (usted)
   (señor Moreno) (ustedes) (Elsa)

F. Haz un estudio sobre el mestizaje.
   (ustedes) (Elena) (maestro)
   (usted) (tú) (Ana Luisa)

G. Vean esos detalles de la escultura.
   (Jorge) (tú) (señora)
   (ustedes) (Bertha) (usted)

H. Ponga los melones en la cocina.
   (Carmen) (ustedes) (tú)
   (Juan) (usted) (Lupe)

I. Oigan los pensamientos de ese hombre.
   (María) (niños) (tú)
   (maestra) (ustedes) (usted)

J. Estén listos a las cuatro en punto.
   (Tere) (usted) (tú)
   (Mario) (ustedes) (señora)

K. Vaya a su clase de dibujo.
   (Bertha) (tú) (ustedes)
   (Sara) (usted) (niños)

L. Ven a ver una muestra prehispánica.
   (ustedes) (Carlos) (muchachos)
   (tú) (usted) (Martha)

II. CAMBIA AL NEGATIVO.
   Ej: <u>Pon</u> todo en su lugar.
       <u>No pongas</u> todo en su lugar.

1. Oiga usted este pensamiento.
2. Haz el trabajo sobre el mestizaje.
3. Salgan de aquí ahora.
4. Ven con tu amigo extranjero.
5. Ponga usted el jabón en el baño.
6. Di tus secretos.
7. Vayan ustedes al departamento.
8. Sé un alumno modelo.
9. Sepan ustedes la verdad.
10. Ve los detalles de la pintura.

III. CAMBIA AL AFIRMATIVO.
   Ej: <u>No digas</u> el secreto.
       <u>Di</u> el secreto.

1. No haga usted esos gastos.
2. No tenga usted miedo del perro.
3. No vayas al departamento.
4. No diga usted muchos detalles.
5. No pongas los jabones aquí.
6. No vea usted esa muestra.
7. No sean irresponsables.
8. No salgas en piyama.
9. No diga usted nada sobre religión
10. No oigas música extranjera.

IV. SUSTITUYE EL OBJETO DIRECTO.
   Ej: Ponga <u>el directorio</u> allí.
       Pónga<u>lo</u> allí.

1. Haga el estudio con cuidado.
2. Analiza esos pensamientos.
3. Dime los detalles.
4. Oigan esa conferencia.
5. Ponga los aspectos importantes.
6. Respeta los letreros.
7. Ve esos rasgos indígenas.
8. Use usted ese suéter.
9. Interpreta su pensamiento.
10. Comprendan su religión.

V. CONTESTA. USA PRONOMBRES DE O.D. Y DE O.I.
   Ej: ¿Le digo la verdad?
        Sí, dígamela, por favor.

1. ¿Le pongo sal a la sopa?
2. ¿Te explico mis teorías?
3. ¿Les cobro la renta a ustedes?
4. ¿Te hago una salsa?
5. ¿Te estaciono el coche?
6. ¿Le platico a usted mis pensamientos?
7. ¿Les explico a ustedes los rasgos indígenas?
8. ¿Le escojo los regalos a usted?
9. ¿Te presto una piyama?
10. ¿Le digo el secreto a ella?

¿Te cepillas el pelo en las noches?
Sí, me lo cepillo en las noches.

¿Se fijó usted en los rasgos mestizos?
Sí, son muy evidentes en esa pintura.

¿Se cansaron ya de estudiar?
Sí, ya nos cansamos.

¿Te diste cuenta de las características principales?
Sí, son muy obvias.

¿Por qué se quitaron los zapatos?
Porque estaban mojados.

Te equivocaste con los pagos, ¿verdad?
Sí, es un trabajo bastante complejo.

VOCABULARIO

cansarse	equivocarse
cepillarse	fijarse
darse cuenta	quitarse

VI. SUSTITUYE.

Ej. Quítense los zapatos.
(tú)
Quítate los zapatos.

A. Fíjate en los rasgos mestizos.
(usted) (Margarita) (muchachos)
(tú) (ustedes) (Ricardo)

B. Cánsense mucho y dormirán bien.
(Elena) (ustedes) (tú)
(Marcela) (niños) (usted)

C. Quítate esos zapatos sucios.
(niños) (Luisa) (usted)
(ustedes) (Bertha) (usted)

D. No se equivoque con los pagos.
(Margarita) (ustedes) (tú)
(señora) (usted) (Carlos)

E. Dense cuenta de esas características.
(Lupe) (muchachos) (tú)
(usted) (Roberto) (ustedes)

F. Cepíllate bien los dientes.
(niños) (María) (ustedes)
(Rosa) (usted) (tú)

VII. CAMBIA AL NEGATIVO.

    Ej. <u>Cepíllate</u> el pelo.
        <u>No te cepilles</u> el pelo.

1. Despídete del doctor extranjero.
2. Equivócate en ese estudio.
3. Lávense con este jabón.
4. Fíjense en los rasgos mestizos.
5. Mójate los pies.
6. Date cuenta del problema.
7. Quéjense con el dueño.
8. Cepíllense los dientes ahorita.
9. Vete a la clase de dibujo.
10. Cánsense para dormir bien.
11. Preocúpate por tu trabajo.
12. Quítate la ropa mojada.

Las flores <u>son</u> baratas aquí.
Esas margaritas <u>están</u> muy baratas.

Los quesos franceses <u>son</u> muy sabrosos.
Este queso <u>está</u> riquísimo.

Las bicicletas inglesas <u>son</u> muy buenas.
La bicicleta de Jorge <u>está</u> muy buena.

La fruta tropical <u>es</u> rica.
Esta papaya <u>está</u> increíble.

El melón <u>es</u> a $6.50 el kilo.
El melón <u>está</u> a $5.50 el kilo.

Las rosas <u>son</u> a $8.00 la docena.
Las rosas <u>están</u> a $6.00 la docena.

SER - ESTAR

10.3

| SER | Se usa para afirmar algo general, establecido. Cuando decimos: La fruta es sabrosa hacemos una afirmación que generalmente es aceptada. |

| ESTAR | Cuando decimos: Esta papaya está rica. expresamos una opinión personal Nos referimos a un objeto en particular. |

ATENCIÓN:

SER y ESTAR + a, se usan para expresar precio.

ser + a = precio regular.

estar + a = precio fluctuante.

El aguacate es a ocho pesos. (siempre, precio habitual)

El aguacate está a ocho pesos. (ahora, precio especial)

VIII. CAMBIA COMO EN EL EJEMPLO.

> Ej. Las flores son bonitas.
>   Las flores son bonitas pero estas rosas están muy feas.

1. Los zapatos viejos son cómodos.

2. La papa es barata.

3. Las telas francesas son muy bonitas.

4. La comida española es sabrosa.

5. Los limones son baratos.

6. El café colombiano es muy bueno.

7. Las papayas son muy sabrosas.

8. Las películas francesas son interesantes.

9. Los pájaros son muy alegres.

10. La cerámica de Puebla es bonita.

IX. COMPLETA COMO EN EL EJEMPLO.

> Ej. Los limones son a $8.00 el kilo.
>   Ahora están a $6.00. Están muy baratos.
>   (Ahora están a $10.00. Están muy caros.)

1. Las cebollas son a $10.00 el kilo.

2. El aguacate es a $6.00 cada uno.

3. Los duraznos son a $20.00 la docena.

4. El tomate es a $9.00 el kilo.

5. Las aceitunas son a $14.00 la lata.

6. El aceite es a $18.00 el litro.

7. Los pimientos son a $11.00 el kilo.

8. La mantequilla es a $25.00 el kilo.

9. Los huevos son a $8.00 la docena.

10. El jamón es a $60.00 el kilo.

¡Qué alto está Luis!

Jorge está muy desagradable.

Qué gordo está tu papá.

Estás muy guapa.

Roberto está muy amable.

SER - ESTAR
10.4

(CARACTERISTICAS PERMANENTES)

Luis es alto.

Jorge es desagradable.

Tu papá es gordo.

RECUERDA:

Usamos el verbo ser con cualidades o características permanentes del sujeto:

Estoy muy pobre.

(No tengo dinero ahorita).

Jorge está desagradable.

(No siempre es desagradable,

hoy está desagradable.)

Tu papá está gordo.

(No siempre es gordo;

está gordo últimamente.)

Sin embargo, cuando en opinión de la persona que habla, esta característica ha cambiado recientemente, usamos el verbo estar.

X. CAMBIA COMO EN EL EJEMPLO.

Ej. El bebé es muy gordo.
¡Qué gordo está ahora!

1. Tus hijos son muy altos.
2. Sus hermanas son muy agradables.
3. La verdura es muy cara.
4. Esos cigarros son muy fuertes.
5. La comida mexicana es picante.
6. La empleada es muy amable.
7. María Eugenia es rica.
8. El señor Robles es muy borracho.
9. Son unas personas muy ocupadas.
10. Margarita es muy guapa.

XI. COMPLETA.

Ej. Es un niño chico. (alto)
Es un niño chico pero está muy alto.

1. Es un perro muy limpio. (sucio)
2. Es una persona agradable. (desagradable)
3. Son muy simpáticas. (pesadas)
4. Es una casa vieja. (barata)
5. Los plátanos son baratos. (caros)
6. Es un hombre delgado. (gordo)
7. Estas clases son muy buenas. (aburridas)
8. No es bonita. (guapa)
9. Son un poco gordas. (delgadas)
10. Mi perro es muy manso. (enojado)

No invites a Javier, es muy aburrido.
Pobre Luis, está muy aburrido.

Jorge es un muchacho muy vivo.
Todavía está vivo el perrito.

Es un hombre malo.
El niño está malo, no va a la escuela.

Tere es muy lista, ¿verdad?
Ya estamos listos.

SER LISTO - ESTAR LISTO

Algunos adjetivos cambian de significado
cuando se usan con el verbo _ser_ o con el
verbo _estar_.

10.5

OBSERVA:

Juan es listo.
(inteligente)

Juan está listo.
(preparado)

El perro es vivo.
(inteligente)

El perro está vivo.
(con vida, no está muerto)

Luis es aburrido.
(es una persona aburrida)

Luis está aburrido.
(no está contento)

Es un hombre malo.
(no es bueno)

El niño está malo.
(está enfermo)

XII. COMPLETA. USA SER O ESTAR.

1. Los vinos de Chile ____ muy famosos; sin embargo, éste no ___ muy bueno.

2. Hay que llamar al doctor porque Juanito ____ malo. ____ triste y cansado.
   El generalmente _____ muy alegre.

3. La fruta _____ muy barata hoy. El durazno que generalmente _____ a
   $ 25.00 el kilo, hoy ____ a $ 18.00.

4. ¡Qué gordo ____! Tú que siempre ____ tan delgado. ¿_____ enfermo?

5. Tu hija ____ siempre tan amable. ¿Por qué ____ tan desagradable hoy?

6. ____ las cuatro. ¿Ya _____ listos? Vamos a llegar tarde.

7. ¡Qué vivo _____ tu perro! Parece una persona. No todos los perros
   _____ así; algunos ____ menos listos.

8. ¿Cuántos años tiene tu hijita? ____ muy alta, ¿verdad?. Creo que no
   _____ contenta aquí. _____ un poco aburrida porque no hay niños.

9. Los zapatos italianos ____ cómodos y bonitos pero éstos no ___ bonitos.

10. ¿Se murió el gato? No todavía ____ vivo; pero ____ muy enfermo.

CONVERSACIÓN

XIII. LEE.

El carácter del mexicano es bastante complejo. Por ejemplo, podemos interpretar las historias de Emilio y Bertha como una forma diferente de ver la vida.

Bertha y Emilio no son personas muy típicas. Sin embargo, los mexicanos pueden comprenderlos mejor que los extranjeros. El carácter mexicano es un carácter mestizo: indígena y español. Del indio el mexicano tiene la amabilidad, la hospitalidad. Lo alegre, sin embargo, es un rasgo español.

El carácter mestizo es también muy evidente en el arte y en la religión. Por ejemplo, el arte de la Colonia. Los estilos y los arquitectos eran españoles; sin embargo, el trabajo lo hacían los indios, que agregaban sus conceptos artísticos personales.

131

Una bellísima muestra de esto es el barroco mexicano en la iglesia de Tepotzotlán. Allí vemos claramente el mestizaje del arte mexicano; los ángeles barrocos con caras indígenas, los conceptos del barroco español junto a los detalles y colores que usaban los indios.

También vemos el mestizaje en la religión. De España llegó el catolicismo y en México tomó características especiales. Esto podemos verlo en las fiestas religiosas, por ejemplo.

Afuera de las iglesias los indígenas bailan danzas prehispánicas, vestidos con sus trajes típicos.

El catolicismo en México es una religión cristiana y pagana, una religión mestiza.

XIV. CONTESTA.

1. ¿Cómo es el carácter del mexicano?
2. ¿Lo entiendes fácilmente?
3. ¿Entiendes las ideas de Bertha y Emilio?
4. ¿Qué entiendes por carácter mestizo?
5. ¿Cómo vemos el mestizaje en el arte mexicano?
6. ¿De dónde eran los arquitectos?
7. ¿Qué hacían los indígenas?
8. ¿Cómo es la iglesia de Tepotzotlán?
9. ¿Cuáles son los detalles indígenas?
10. ¿Qué entiendes por religión mestiza?
11. ¿Cómo es el catolicismo mexicano?
12. ¿Puedes dar un ejemplo?

LECCIÓN 11

—Buenos días.

—Hola papá.

—Somos una familia muy democrática, ¿verdad?

—Sí, claro.

—Entonces, vamos a votar: "Renta o Acapulco".

—¡Acapulco!

—Sí, nos vamos a Acapulco mañana.

—¡Qué maravilla!

—La maravilla es que además vamos a pagar la renta. Ya saben que yo desapruebo el sistema de vida de Emilio.

—Papá, no seas tan formal. Vas a echar a perder el juego.

—No estoy echando a perder nada. David puede pensar que soy como Emilio.

—¿A usted no le gustan las historias de Bertha y Emilio?

—Las historias sí, pero su forma de vida no.

—Huy, papá, eres un aguafiestas.

El papá de Elena es muy formal
Papá, no seas <u>tan</u> formal.

Pepe brinca altísimo con el caballo.
Pepe, no brinques <u>tan</u> alto.

Están en una edad maravillosa.
Es una edad <u>tan</u> maravillosa.

Hay una vista del mar muy bonita.
Hay una vista <u>tan</u> bonita.

TAN 11.1

Expresa cantidad. Se usa antes de adverbios o adjetivos, excepto <u>mayor</u>, <u>menor</u>, <u>mejor</u>, <u>peor</u>.

No camines <u>tan</u> rápido.

Están en una edad <u>tan</u> maravillosa.

I. CAMBIA AL NEGATIVO. USA <u>TAN</u>.

Ej. Juan come <u>muy</u> aprisa.
    Juan, no comas <u>tan</u> aprisa.

1. Los niños brincan muy alto.

2. Elsa es muy formal.

3. Están muy aburridos.

4. Lucía hace el trabajo muy mal.

5. Carmen es muy responsable.

6. Los niños gritan muy fuerte.

7. Alicia viene muy despacio.

8. Ustedes se cansan muy pronto.

9. Los muchachos son muy cobardes.

10. Rosa se equivoca muy seguido.

II. FORMA UNA ORACIÓN.

Ej. No nada bien porque <u>practica muy poco</u>.
<u>Practica tan poco</u> que no nada bien.

1. No me siento bien porque como muy poco.

2. No nos cansamos porque trabajamos muy poco.

3. No tienen dinero porque les pagaron muy poco.

4. No sabes literatura porque lees muy poco.

5. No bailan bien porque practican muy poco.

6. No necesita mucho dinero porque gasta muy poco.

7. No está bueno el café porque lo calentaron muy poco.

8. No aprendes alemán porque estudias muy poco.

9. Sobró mucha ensalada porque comieron muy poco.

10. No está suave la carne porque la cocieron muy poco.

Practico <u>más</u> deportes <u>que</u> Alejandro.

Practico <u>tantos</u> deportes <u>como</u> Alejandro.

Practico <u>menos</u> deportes <u>que</u> Alejandro.

Ese hotel es <u>más</u> lujoso <u>que</u> éste.

Ese hotel es <u>tan</u> lujoso <u>como</u> éste.

Ese hotel es <u>menos</u> lujoso <u>que</u> éste.

Aquí hay <u>más</u> discotecas <u>que</u> en Acapulco.

Aquí hay <u>tantas</u> discotecas <u>como</u> en Acapulco.

Aquí hay <u>menos</u> discotecas <u>que</u> en Acapulco.

Este puerto es <u>más</u> importante <u>que</u> Veracruz.

Este puerto es <u>tan</u> importante <u>como</u> Veracruz.

Este puerto es <u>menos</u> importante <u>que</u> Veracruz.

COMPARATIVOS

<u>RECUERDA</u>:

El grado comparativo del adjetivo puede ser de:

—SUPERIORIDAD
  (más...que)   El es <u>más</u> alto <u>que</u> yo.

—IGUALDAD
  (tan...como)   El es <u>tan</u> alto <u>como</u> yo.

—INFERIORIDAD
  (menos...que)   El es <u>menos</u> alto <u>que</u> yo.

11.2

<u>ATENCIÓN</u>:

El grado comparativo del
<u>adverbio</u> se forma igual
que el del adjetivo.

Corre <u>más</u> rápido <u>que</u> tú.

Corre <u>tan</u> rápido <u>como</u> tú.

Corre <u>menos</u> rápido <u>que</u> tú.

TANTO...COMO

(SUSTANTIVOS) 11.3

Para establecer comparación
entre dos <u>sustantivos</u> que
tienen el mismo valor, se
usa:

> más...que
>
> tanto...como
> (a, os, as)
>
> menos...que

Tengo <u>más</u> libros <u>que</u> Alicia.

Tengo <u>tantos</u> libros <u>como</u> Alicia.

Tengo <u>menos</u> libros <u>que</u> Alicia.

<u>ATENCIÓN</u>:

> tant<u>o</u> diner<u>o</u>
>
> tant<u>a</u> pris<u>a</u>
>
> tant<u>os</u> disc<u>os</u>
>
> tant<u>as</u> discotec<u>as</u>

III. FORMA UNA ORACIÓN. USA <u>MÁS...QUE</u>.

> Ej. Pepe tiene muchos libros. Yo tengo pocos.
> Pepe tiene <u>más</u> libros <u>que</u> yo.

1. Elena necesita dinero. Luis necesita menos dinero.
2. Ellos practican muchos deportes. Carlos sólo practica tenis.
3. Aquí hay tres discotecas. Allá hay dos.
4. Elena sabe muchas leyendas. Juan sabe pocas.
5. Alicia tiene ocho tíos. Lucía tiene cinco.
6. En Venezuela hay mucho petróleo. En Bolivia hay poco.
7. Yo fumo veinte cigarros. Mi hermano fuma diez.
8. Hay muchas moscas en el jardín. En la casa hay pocas.
9. En México hay varios volcanes. En Guatemala hay pocos.
10. Arturo necesita seis lápices. Sara necesita cuatro.

IV. FORMA ORACIONES NEGATIVAS. USA <u>TANTO (A, AS, OS)</u>...<u>COMO</u>.

Ej. Jorge trajo seis discos. Yo traje tres.
Yo no traje <u>tantos</u> discos <u>como</u> Jorge.

1. En mi país hay muchas montañas. En el tuyo hay menos.

2. Alicia brincó tres metros. Lupe brincó dos.

3. En las ciudades hay mucho smog. En los pueblos hay poco.

4. Luis toma mucha leche. Alicia toma poca.

5. Practicamos varios deportes. Lucía practica pocos.

6. Eché a perder mucho papel. Rosa echó a perder poco.

7. Jorge tiene mucho dinero. Nosotros tenemos poco.

8. En mi coche hay mucho lugar. En el tuyo hay poco.

9. Elena recibió muchos regalos. Tere recibió pocos.

10. Mis sobrinos comieron muchas aceitunas. Los tuyos comieron pocas.

V. FORMA ORACIONES. USA <u>MENOS</u>...<u>QUE</u>.

Ej. Juan escribió tres artículos. Luis escribió uno.
Luis escribió <u>menos</u> artículos <u>que</u> Juan.

1. Me equivoqué tres veces. Luisa se equivocó dos.

2. Rosa gastó mucho dinero. Elena gastó poco.

3. Llevé seis cintas. Roberto llevó tres.

4. Ellos compraron varios melones. Yo compré uno.

5. El perro tomó mucha agua. Los gatos tomaron poca.

6. Pepe hizo seis dibujos. Martha hizo cinco.

7. Ayer nacieron treinta niños. Hoy nacieron veinte.

8. Elena picó tres cebollas. Rosa picó dos.

9. Lucía comió tres rebanadas de jamón. Ana comió una.

10. Escribí varias recetas. María escribió dos.

TANTO COMO

11.4

Cuando la comparación se refiere a un verbo se usa:
 	
    más   que
 	
    tanto como
 	
    menos que

Me divierto más que Luis.
Me divierto tanto como Luis.
Me divierto menos que Luis.

Alicia descansa más que Lucía.
Alicia descansa tanto como Lucía.
Alicia descansa menos que Lucía.

VI. FORMA UNA ORACIÓN. USA MÁS QUE.

Ej. Carlos estudia mucho. Juan estudia poco.
Carlos estudia más que Juan.

1. Alicia se divierte mucho. Rosa se divierte poco.

2. Los muchachos descansan mucho. Yo descanso poco.

3. El doctor se cansa mucho. Su hijo se cansa poco.

4. Los niños gritan mucho. Juanito grita poco.

5. Me preocupo mucho. Tú te preocupas poco.

6. La señora trabaja mucho. Martha trabaja poco.

7. Tus amigas platican mucho. Tú platicas poco.

8. Teresa gasta mucho. Sus hijos gastan poco.

9. Ellos discuten mucho. El policía discute poco.

10. La niña se queja mucho. El niño se queja poco.

VII. CAMBIA. USA <u>TANTO COMO</u>.

Ej. Elena estudia <u>menos que</u> Alicia.
   Elena no estudia <u>tanto como</u> Alicia.

1. Lupe se divierte menos que Lucía.

2. Ellos se equivocan menos que nosotros.

3. La niña brinca menos que el niño.

4. Mi mamá descansa menos que mi papá.

5. Ellos se preocupan menos que usted.

6. Lucía platica menos que Ana Luisa.

7. Mis suegros viajan menos que mis padres.

8. Jorge sabe menos que Sara.

9. Tu esposo bromea menos que Raúl.

10. Mis hijas ayudan menos que las tuyas.

VIII. FORMA UNA ORACIÓN. USA <u>MENOS QUE</u>.

Ej. Lucía practica mucho. Ana practica poco.
   Ana practica <u>menos que</u> Lucía.

1. Tu niño se enferma mucho. Mi niño se enferma poco.

2. Los muchachos comen mucho. Ellas comen poco.

3. María se arregla mucho. Verónica se arregla poco.

4. Los niños caminan mucho. Yo camino poco.

5. El señor Moreno toma mucho. Jorge toma poco.

6. Tu bebé duerme mucho. Mi bebé duerme poco.

7. Los albañiles trabajan mucho. Los empleados trabajan poco.

8. El doctor García fuma mucho. Tú fumas poco.

9. Esas llaves gotean mucho. Ésta gotea poco.

10. Llueve mucho en México. En Acapulco llueve poco.

TANTO

Expresa cantidad.	Tomó mucho en la fiesta.
Se usa después del verbo.	Tomó tanto que se enfermó.

IX. CAMBIA. USA TANTO.

Ej. Se lastimó la mano porque jugó mucho.
Jugó tanto que se lastimó la mano.

1. Nos enfermamos porque comimos mucho.

2. Te dolió la cabeza porque te asoleaste mucho.

3. Se cansaron porque manejaron mucho.

4. Les dolió el estómago porque se rieron mucho.

5. Te sentiste mal porque tomaste mucho.

6. No durmió bien porque se preocupó mucho.

7. No tengo dinero porque gasté mucho.

8. Estaban aburridas porque plancharon mucho.

9. El perro se enojó porque lo molestaron mucho.

10. Aprendí alemán en seis meses porque estudié mucho.

Tenemos más ropa que ustedes.

Tenemos más de quince pantalones.

Lucía sabe más verbos que Elena.

Lucía sabe más de cien verbos.

Necesito menos dinero que tú.

Necesito menos de ochenta pesos.

MÁS QUE-MÁS DE

Tengo <u>más</u> pantalones <u>que</u> Luis.

Tengo <u>más de</u> diez pantalones.

```
ATENCIÓN:

        más de
                    +    número
        menos de
```

X. CAMBIA. USA <u>MÁS DE</u>.

   Ej. Lucía tiene <u>más</u> discos <u>que</u> Tere.
       Tiene <u>más de</u> treinta discos.

1. Tengo más edad que tú.   6. Planché más ropa que tú.
2. Tenemos más tíos que usted. 7. Leímos más libros que ustedes.
3. Sé más leyendas que Elena.   8. Compró más discos que yo.
4. Conoce más países que yo.   9. Lavé más pantalones que Rosa.
5. Hay más volcanes que allá. 10. Necesitan más dinero que ustedes.

XI. CAMBIA. USA <u>MENOS DE</u>.

   Ej. Rosa tiene <u>menos</u> dinero <u>que</u> usted.
       Tiene <u>menos de</u> cincuenta pesos.

1. Tienen menos caballos que nosotros.

2. Compró menos suéteres que usted.

3. Necesitan menos lápices que usted.

4. Tomó menos aspirinas que Jorge.

5. Comí menos aceitunas que ella.

6. Durmieron menos tiempo que ella.

7. Hay menos llaves que ayer.

8. Tiene menos dinero que yo.

9. Tengo menos edad que usted.

10. Conocen menos países que yo.

¿Qué hicieron en Acapulco?
Miles de cosas. Nadamos, pescamos
esquiamos, jugamos golf, vimos a
los clavadistas y fuimos a los
centros nocturnos.

¿Qué hacían en Acapulco?
Miles de cosas. Nadábamos, pescábamos,
esquiábamos, jugábamos golf, veíamos a
los clavadistas e íbamos a los centros
nocturnos.

¿Se divirtieron mucho?
Sí, mucho, a pesar de Manuel que
es tan pesado.
Mira, hacíamos planes para ir a la
bahía y él decía que no. Pensábamos
ir a ver la puesta del sol y decía
que no. Nunca iremos con él otra vez.

¿Hacía mucho calor?
Huy sí, mucho. Además había demasiada
gente. Todo estaba lleno: las playas,
los restaurantes, los hoteles.
Creo que en este mes hay planes
familiares muy económicos y todo
el mundo va.

¿Qué comían?
Comíamos rico: pescado y mariscos
junto a las olas.

11.7

PRETÉRITO - COPRETÉRITO

¿Qué hicieron en Acapulco?

> Se refiere a una sola vez.
> Hablamos de un viaje determinado.

¿Qué hacían en Acapulco?

> Implica acción habitual, repetida.
> Hablamos de uno o varios viajes
> en el pasado.

ATENCIÓN:

Con el copretérito se expresa la <u>intención</u> de realizar una acción en el pasado.

Pensábamos ir.

Pensábamos ir hoy

- pero no tenemos tiempo.
- pero Luis no quiso.
- pero iremos otro día.

La intención que expresa el verbo en copretérito, generalmente no se realiza. La razón por la cual no se realiza puede estar en presente, pretérito, copretérito o futuro.

XII. CAMBIA AL COPRETÉRITO Y COMPLETA. USA <u>EL PRESENTE</u>.

Ej. <u>Necesito ir.</u>
    <u>Necesitaba ir</u> pero ahorita no puedo.

1. Queremos comprarlo.

2. Piensan leer ese libro.

3. Tengo que salir.

4. Voy a ver la tele.

5. Quieren invitarlos.

6. Tengo ganas de esquiar.

7. Pensamos jugar golf.

8. Quiero comer mariscos.

9. Vamos a ir al mar.

10. Pienso ver al clavadista.

XIII. CAMBIA AL COPRETÉRITO Y COMPLETA. USA EL PRETÉRITO O EL COPRETÉRITO.

Ej. Piensan jugar golf.
Pensaban jugar golf pero llovió.
Pensaban jugar golf pero no tenían pelotas.

1. Queremos ir a pescar.
2. Van a ir a un centro nocturno.
3. Necesitan más dinero.
4. Quieren ver la puesta del sol.
5. Vamos a esquiar.
6. Tenemos que ir a la bahía.
7. Quiero comer mariscos.
8. Estamos haciendo planes.
9. Piensan ir al mar.
10. Vamos a ver a los clavadistas.

XIV. CONTESTA COMO EN EL EJEMPLO. USA EL PRESENTE O EL PRETÉRITO.

Ej. ¿Quieres comer pescado?
Quería comerlo pero no hay.

1. ¿Vas a esquiar?
2. ¿Piensas jugar golf?
3. ¿Van a ir a pescar?
4. ¿Quieres descansar?
5. ¿Van a ver la puesta de sol?
6. ¿Piensa comer mariscos?
7. ¿Vas a planchar tus pantalones?
8. ¿Tienes ganas de salir?
9. ¿Quieres brincar las olas?
10. ¿Van a un centro nocturno?

XV. CONTESTA.

1. ¿Qué hicieron ayer?
2. ¿Qué hacías en el cuarto?
3. ¿Qué comiste ayer?
4. ¿Qué comías en Acapulco?
5. ¿Qué vieron en Acapulco?
6. ¿Qué hicieron en la discoteca?
7. ¿Adónde fuiste en las vacaciones?
8. ¿Adónde iban en las vacaciones?
9. ¿Descansaste mucho en Cuernavaca?
10. ¿Descansabas mucho en Cuernavaca?

Hacía calor en Acapulco.

La mesa estaba muy sucia.

Era un hombre alto.

XVI. CAMBIA AL COPRETÉRITO.

1. Hay mucha gente en el centro.
2. Llueve muchísimo en ese pueblo.
3. Elena es muy agradable.
4. Hay unas olas muy altas.
5. Carlos es un gran clavadista.
6. El mar está muy tranquilo.
7. La vista del puerto es impresionante.
8. Hay mucho pescado y mariscos.
9. La bahía está llena de gente.
10. Mi abuela es una persona muy formal.

Admirábamos la puesta de sol cuando los vimos.

Cuando planchaba los pantalones, sonó el teléfono.

XVII. COMPLETA.

1. Admiraba la bahía cuando...

2. Regresaban de la playa cuando...

3. Pensaba en ti cuando...

4. Comíamos mariscos cuando...

5. Veían al clavadista cuando...

6. Jugábamos golf cuando...

7. Descansábamos cuando...

8. Veía la tele cuando...

9. Planchaba los pantalones cuando...

10. Hablaba por teléfono cuando...

CONVERSACIÓN

Acapulco es uno de los puertos más famosos del mundo. El clima es ideal, hace calor todo el año. Tiene atractivos para todas las edades y todos los gustos. Es posible ir en plan familiar a descansar y a jugar en la playa. Para los jóvenes también hay toda clase de atractivos: discotecas, centros nocturnos, muchos lugares para bailar o tomar una copa. Todos pueden practicar su deporte favorito: jugar golf, esquiar, pescar, nadar, etc. Hay también muchos atractivos naturales: la vista de la bahía es muy bella, las puestas de sol son impresionantes.

En Acapulco hay hoteles muy lujosos y cuartos económicos. Las playas son muy diferentes también: "El Revolcadero" con olas muy grandes; "Puerto Marqués" con un mar muy tranquilo; "Pie de la cuesta" en donde es imposible nadar, pero vale la pena ir a ver la puesta del sol.

—Vamos a hacer planes para hoy, ¿no?

—Sí. Papá y yo queremos ir al club de golf. ¿Ustedes qué piensan hacer?

—Queremos ir a "El Revolcadero" a brincar olas y a nadar. Nos vemos a la hora de comer, ¿no?

—Bueno, ¿en dónde?

—En la playa junto al hotel. Allí podemos comer mariscos y dormir una siesta.

—En la tarde hay que llevar a David a ver a los clavadistas.

—Sí, claro. Es un espectáculo impresionante. Los nativos de Acapulco son expertos clavadistas. Es realmente fantástico verlos.

—¡Qué bueno! Vamos a divertirnos mucho este fin de semana. Mil gracias por todo.

—De nada, David. Es bueno saber que te gusta nuestro país.

XIX. CONTESTA.

1. ¿Cómo es Acapulco?

2. ¿Lo conoces?

3. ¿Qué puertos conoces?

4. ¿Qué pueden hacer los jóvenes en Acapulco?

5. ¿Y las familias?

6. ¿Es muy caro Acapulco?

7. ¿No hay hoteles baratos?

8. ¿Qué podemos comer en Acapulco?

9. ¿Cómo son las playas?

10. ¿Te gustan las olas altas?

11. ¿Qué van a hacer los papás de Elena?

12. ¿Y los muchachos?

13. ¿A qué hora van a verse?

14. ¿En dónde?

15. ¿Van a divertirse en Acapulco?

LECCIÓN 12

—¿Hace mucho que vives en México?

—No, no mucho. Llegué hace cuatro meses.

—Estudias español, ¿verdad?

—Español y otras cosas. Me interesa mucho la lengua pero me interesa también entender la cultura y el carácter de los mexicanos. Últimamente he leído algunos libros muy interesantes sobre tu país y sobre Latinoamérica.

—¿Cómo te imaginabas a los mexicanos antes de venir?

—Iguales a nosotros.

—No seas diplomático. De cada nacionalidad hay una imagen que generalmente no coincide con la realidad.

Cuando pensamos en un japonés siempre lo vemos vestido con su traje típico, comiendo arroz.

Un inglés es un hombre elegante y serio que usa paraguas y camina muy derecho.

Un francés, mejor dicho una
francesa, es una muchacha con
boina y falda negra, que fuma
con boquilla.

Un americano usa shorts y camisa
de colores con palmeras y flores.
¡Ah! siempre trae una cámara
fotográfica.

—Como verás, ninguno corresponde a la realidad. Creo que son el

resultado de la publicidad turística. Ahora sí, dime qué pensabas

cuando oías hablar de los mexicanos antes de venir.

—Creo que pensaba en los mexicanos
de las tarjetas postales.

A. Hemos vivido en esta casa seis años.

   ¿Cuánto tiempo has estudiado español?

   Luis ha trabajado aquí varios meses.

B. He visto esta película tres veces.

   ¿Has ido al cine últimamente?

   Hemos estado en Puebla varias veces.

C. La señora Ramos no ha llegado.

   Todavía no he leído el periódico.

   ¿No han servido la comida todavía?

D. ¿No has visto mi paraguas*?

   He oído el resultado del estudio.

   Hemos sabido la verdad ayer.

* el paraguas
  los paraguas

151

EL ANTEPRESENTE

12.1

Expresa:

A. • Una acción que empezó en el pasado y continúa hasta el momento presente:

> He vivido aquí varios años.

B. • Una acción que se ha realizado varias veces en el pasado y que puede repetirse:

> Lo he leído cuatro veces.

C. • Una acción esperada que todavía no se realiza:

> El doctor no ha llegado.

D. • Una acción ocurrida en un pasado muy cercano:

> Han adivinado la verdad.

Se forma:

presente de haber	+	participio pasado
he		
has		
ha		comprado
hemos		
han		

El participio pasado en español se forma con las terminaciones		
cantar	=	cant<u>ado</u>
comer	=	com<u>ido</u>
salir	=	sal<u>ido</u>

El participio pasado en
español se forma con las
terminaciones

<u>ado</u>   <u>ido</u>

ATENCIÓN:

Han abierto la puerta.

Te he dicho la verdad.

No he visto la película.

ALGUNOS PARTICIPIOS IRREGULARES			
abrir	- abier<u>to</u>	poner	- pues<u>to</u>
devolver	- devuel<u>to</u>	romper	- ro<u>to</u>
escribir	- escri<u>to</u>	ver	- vis<u>to</u>
morir	- muer<u>to</u>	volver	- vuel<u>to</u>
decir	- di<u>cho</u>	hacer	- he<u>cho</u>

I. CAMBIA AL ANTEPRESENTE.

   Ej. <u>Estudio</u> aquí desde 1972.
       <u>He estudiado</u> aquí cinco años.

1. Viven en Colombia desde 1960.
2. ¿Trabajas aquí desde el año pasado?
3. Estudio español desde 1975.
4. Fuman cigarros con filtro desde mayo.
5. Le duele la cabeza desde el domingo.
6. Compran su ropa allí desde 1970.
7. ¿Juegas futbol desde 1972?
8. Asistimos a esta escuela desde febrero.
9. Practico gimnasia desde 1967.
10. Somos amigos de Juan desde 1969.

II. CONTESTA. USA EL ANTEPRESENTE.

Ej. ¿Conoces Nueva York?
Sí, he ido tres veces.

1. ¿Leíste la novela que te presté?
2. ¿Vio usted esa película?
3. ¿Perdiste tus llaves?
4. ¿Fueron al Museo de Antropología?
5. ¿Visitaron ustedes las pirámides?

6. ¿Te caíste en la escuela?
7. ¿Le dio dolor de cabeza ayer?
8. ¿Te sentaste en la silla rota?
9. ¿Invitaron ustedes a Raúl?
10. ¿Les dolió a ustedes el estómago?

III. COMPLETA. USA EL ANTEPRESENTE.

Ej. Carmen salió a las tres pero no ha regresado.

1. Ese maestro es puntual pero
2. Pensábamos terminar a las nueve pero
3. El perro está muy enfermo pero
4. Jorge tenía que hablarnos pero
5. Lo han buscado todo el día pero

6. Iban a apagar las luces pero
7. Creímos que iba a venir pero
8. Pensábamos trabajar hoy pero
9. Tenían que analizar el problema pero
10. Quería arreglar mis papeles pero

IV. CAMBIA AL ANTEPRESENTE.

Ej. Vimos un accidente.
Hemos visto un accidente.

1. Oí un ruido en la calle.
2. Perdimos el paraguas.
3. ¿Supiste el resultado del problema?
4. No conseguí la cámara.
5. ¿Viste el accidente en la televisión?

6. Supimos la noticia hace un rato.
7. Me quejé con el dueño.
8. ¿Vieron a una niña vestida de azul?
9. Leí un artículo sobre música popular.
10. ¿Te interesaron las conferencias?

V. CONTESTA COMO EN EL EJEMPLO.

Ej. ¿Ya encontraste la cámara?
Sí, ya la encontré.

1. ¿Ya preparaste el arroz?
2. ¿Ya viste las palmeras?
3. ¿Ya llamaron al doctor?
4. ¿Ya buscaron el paraguas?
5. ¿Ya discutieron el problema?

6. ¿Ya plancharon la ropa?
7. ¿Ya pintaron las paredes?
8. ¿Ya recogiste tus papeles?
9. ¿Ya devolviste el libro?
10. ¿Ya preguntaron la dirección?

VI. CONTESTA LAS PREGUNTAS DEL EJERCICIO V COMO EN EL EJEMPLO.

Ej. ¿Ya encontraste tu cámara?
No, todavía no la he encontrado.
No, todavía no.

He conservado este reloj muchos años.
Hace muchos años que conservo este reloj.
Conservo este reloj hace muchos años.

Has estado muy pensativo estos días.
Hace varios días que estás pensativo.
Estás pensativo hace varios días.

Esta casa ha pertenecido a mi familia desde 1950.
Hace muchos años que pertenece a mi familia.
Pertenece a mi familia hace muchos años.

HACE 12.2

(ANTEPRESENTE)

hace + presente se usa también para expresar una acción que empezó en el pasado y continúa hasta el presente.	Trabajo aquí hace dos años. Hace dos años que trabajo aquí. He trabajado aquí dos años.

Hay dos posibilidades para colocar hace en la oración:

Hace mucho que vine.

Vine hace mucho.

Cambia la estructura pero no el significado.

VII. CAMBIA COMO EN EL EJEMPLO.

Ej. Hace tres días que no veo a Juan.
No veo a Juan hace tres días.

1. Hace varios años que vives en Nueva York.
2. Hace mucho que compro mi ropa allí.
3. Hace tiempo que no hablo con Teresa.
4. Hace dos años que se murió su esposo.
5. Hace unos meses que vivimos aquí.
6. Hace dos días que no come el perro.
7. Hace un año que regresaron mis tíos.
8. Hace varios días que no fumo.
9. Hace meses que no veo una buena película.
10. Hace dos horas que queremos comer.

VIII. CAMBIA AL NEGATIVO.

Ej. Vi a Rosa hace tres días.
Hace tres días que no veo a Rosa.

1. Luis jugó futbol hace dos semanas.
2. Leí un libro en español hace mucho.
3. Fuimos a Cuernavaca hace tres semanas.
4. Lavaron su ropa la semana pasada.
5. Comimos pastel el domingo.
6. Vieron una buena película hace varios meses.
7. Pagaron la renta hace dos meses.
8. Compré unos discos en diciembre.
9. Llovió aquí hace dos meses.
10. Estudiaron español hace dos años.

IX. FORMA ORACIONES.

Ej. Viven en Puebla desde 1976.
Han vivido en Puebla dos años.
Hace dos años que viven en Puebla.
Viven en Puebla hace dos años.

1. Rentamos el coche en diciembre.
2. Estoy en México desde 1972.
3. Fumamos desde 1974.
4. Empezó a trabajar en abril.
5. Luis está muy pensativo desde el lunes.
6. Empecé a tomar estos cursos el año pasado.
7. Conservamos esta casa desde 1950.
8. Estudiamos piano desde 1969.

CONVERSACIÓN

X. LEE.

No es posible generalizar cuando hablamos de nacionalidades. En
realidad no existe una persona típica o representativa de cada país.
En todos los países hay varios tipos humanos que son el resultado
de las condiciones geográficas, del clima, de los problemas sociales.
No es posible decir, por ejemplo, que un americano de Minnesota
es igual a uno de California.
En México también hay diversos tipos humanos, de carácter muy
diferente.
En el norte del país, donde la tierra es seca, la gente es fuerte,
brusca y franca.
En la costa la gente es muy alegre, le gusta la música y el baile.
En las zonas donde hay población indígena, como Oaxaca y Chiapas,
la gente es diferente porque está cerca de las culturas indígenas
y recibe su influencia más directamente.

Hay en el país algunos grupos indígenas que han conservado formas de vida antigua. Casi no tienen contacto con otras personas y su vida es muy primitiva.

Los habitantes de la ciudad de México son muy diferentes. A la ciudad llegan muchas influencias culturales: espectáculos extranjeros, gentes de otros países, cine, etc. En la ciudad se encuentran muchas ideologías, formas de vida y de pensamiento. Esto produce* gente cosmopolita y moderna que en ocasiones puede estar más cercana a un neoyorkino o a un londinense que a un indígena del estado de Chiapas, por ejemplo. Estas influencias culturales, geográficas y lingüísticas existen en casi todos los países del mundo. Por eso no podemos hablar de una persona típica de un país.

XI. CONTESTA.

1. ¿Es posible generalizar cuando hablamos de nacionalidades?
2. ¿Existe una persona típica de tu país?
3. ¿Por qué hay tan diferentes tipos humanos?
4. ¿Cuál es la influencia del clima?
5. ¿Cómo son los mexicanos del norte de México?
6. ¿Conoces a alguno? ¿Cómo es?
7. ¿Cómo son los de la costa?
8. ¿Cómo es la vida de los indígenas?
9. ¿Cómo es la gente de la ciudad de México?
10. ¿Cuáles son las influencias culturales en la ciudad?
11. ¿Qué tipos humanos diferentes hay en tu país?
12. ¿Por qué?

```
* Verbo irregular
```

158

LECCIÓN 13

—¡Mira que coincidencia! El otro día hablábamos de las diferencias que hay entre los mexicanos. Ahora vas a tener la oportunidad de conocer algo de la provincia.

—¡Qué bueno! ¿Adónde vamos?

—A un pueblo cerca de Veracruz. Se va a casar una prima de nosotros y vamos a la boda.

—¡Ah! ¡Qué bien! Me encanta la idea de conocer a la gente y de ver cómo es una boda de pueblo.

—Sí, yo pensé que te gustaría mucho ir.

—Claro que sí. Ya sabes que me interesa ver todo, pero en especial a la gente.

—Además vas a conocer a la familia de mi mamá.

—¿Tiene muchos parientes?

—Muchísimos, como casi todos los mexicanos.

Te expliqué que llegarían mis parientes.

Nos avisaron que la boda sería a las doce.

Luisa dijo que iría a la modista.

Me contó que adornarían el patio con flores.

Pensé que no servirían bebidas.

Nos contestó que llamaría a las once.

Te platiqué que regresaría tarde.

POSPRETÉRITO
(COMO FUTURO)

| Expresa | Acción futura en relación a una acción pasada. | 13.1 |

OBSERVA:

Digo que llegaré.

(llegaré es el futuro

del presente).

Dije que llegaría.

(llegaría es el futuro

del pasado).

Se forma	INFINITIVO		
			ía
			ías
	cantar		ía
	comer	+	
	dormir		íamos
			ían

I. CAMBIA COMO EN EL EJEMPLO.

Ej. Elena <u>piensa que llegará</u> tarde.
Elena <u>pensó que llegaría</u> tarde.

1. Ellos dicen que no participarán.
2. Mi tía opina que todo resultará bien.
3. Los niños dicen que adornarán el patio.
4. ¿Crees que irá Ana Luisa?
5. La secretaria avisa que llegará el sábado.
6. Suponemos que se divertirán mucho.
7. Pienso que estarán de mal humor.
8. ¿Sabes que contratarán un nuevo maestro?
9. Todos opinan que no lloverá.
10. Quiere decir que no lo repetirá.

II. CAMBIA COMO EN EL EJEMPLO.

Ej. Luis <u>dijo que resultaría</u> bien.
Luis <u>dice que resultará</u> bien.

1. Nos contestaron que lo pensarían.
2. Supuse que llegarías tarde.
3. Me contaron que adornarían la casa.
4. Supimos que resultaría bien.
5. Repitió que conservaría esas cartas.
6. Luis dijo que no servirían bebidas.
7. Dijeron que producirían más arroz.
8. Creí que participarías en la clase.
9. ¿Opinaste que subirían los precios?
10. Dijo que todos coincidiríamos.

III. CAMBIA.

Ej. Rosa <u>irá</u> a la modista.
(contestar)
Rosa <u>contestó que iría</u> a la modista.

1. Mi tía conservará esas revistas. (decir)
2. Los campesinos producirán más arroz. (pensar)
3. El maestro participará en la conferencia. (contestar)
4. Margarita llegará tarde. (explicar)
5. No debemos generalizar. (opinar)
6. Los niños adornarán la casa. (avisar)
7. Jorge esperará en la oficina. (decir)
8. Repetiré la clase mañana. (contestar)
9. La modista no terminará a tiempo. (pensar)
10. Sus parientes no regresarán hoy. (avisar)

IV. CONTESTA. USA <u>EL POSPRETÉRITO</u>.

Ej. ¿Qué dijo Jorge?
(Dijo) Que no <u>volvería</u> hoy.

1. ¿Qué opinaron los muchachos?
2. ¿Qué contestaste?
3. ¿Qué dijeron tus parientes?
4. ¿Qué contó Margarita?
5. ¿Qué dijiste?
6. ¿Qué contestaron los empleados?
7. ¿Qué creyó Luisa?
8. ¿Qué opinaste?
9. ¿Qué pensó Ana Luisa?
10. ¿Qué creyeron los niños?

Pensé que <u>podría</u> participar.

Dijeron que <u>harían</u> mole y frijoles.

Yo ya sabía que <u>habría</u> baile.

Opinamos que <u>tendrían</u> que adornar el altar.

Contestó que <u>saldríamos</u> como a las tres.

POSPRETÉRITO

(VERBOS IRREGULARES)

13.2

Los mismos verbos que son irregulares en el futuro, son también irregulares en el pospretérito.

tendré	-	tendría
querré	-	querría
podré	-	podría

RECUERDA:

        tener

        tendr - é - ía

pero usan las mismas terminaciones.

ALGUNOS VERBOS IRREGULARES EN POSPRETÉRITO

DECIR	HABER	HACER
diría	habría	haría
dirías	habrías	harías
diría	habría	haría
diríamos	habríamos	haríamos
dirían	habrían	harían
PODER	**PONER**	**QUERER**
podría	pondría	querría
podrías	pondrías	querrías
podría	pondría	querría
podríamos	pondríamos	querríamos
podrían	pondrían	querrían
SABER	**SALIR**	**TENER**
sabría	saldría	tendría
sabrías	saldrías	tendrías
sabría	saldría	tendría
sabríamos	saldríamos	tendríamos
sabrían	saldrían	tendrían
VALER	**VENIR**	
valdría	vendría	
valdrías	vendrías	
valdría	vendría	
valdríamos	vendríamos	
valdrían	vendrían	

V. CAMBIA COMO EN EL EJEMPLO.

Ej. <u>Creo que tengo</u> suficiente tiempo.
<u>Creí que tendría</u> suficiente tiempo.

1. Piensa que saldrá como a las ocho.

2. Opinamos que no vendrán sus parientes.

3. Dicen que no habrá luz mañana.

4. Luis cree que Ana no hará nada.

5. Avisan que no podrán llegar a tiempo.

6. Creo que la niña nunca dirá la verdad.

7. Pensamos que mañana sabremos la noticia.

8. Dicen que hará mucho frío en noviembre.

9. Nos avisan que no tendrán tiempo el lunes.

10. Creen que no habrá lugares para todos.

VI. COMPLETA. USA <u>UN VERBO IRREGULAR EN POSPRETÉRITO</u>.

Ej. Dijeron que...
Dijeron que vendrían a tiempo.

1. Opinaste que

2. Pensamos que

3. Dijeron que

4. Creí que

5. ¿Pensaste que

6. Avisaron que

7. Contesté que

8. Supimos que

9. Dije que

10. Creyó que

Para hacer mole, <u>se necesita</u> tiempo.

Generalmente <u>se sirve</u> con arroz.

A las doce <u>se inicia</u> la ceremonia.

<u>Se ponen</u> flores en las mesas.

<u>Se habla</u> inglés.

No <u>se presta</u> el teléfono.

SE (IMPERSONAL)

13.3

<u>Se</u> representa un sujeto impersonal: un sujeto desconocido o poco importante.

Cuando decimos:

Se habla inglés.

no hay ningún interés en saber <u>quién</u> habla inglés sino en el hecho de que alguien (desconocido) habla inglés.

Se habla inglés.

No se sirven bebidas.

SE + 3a. persona	singular o plural

SE RENTAN DEPARTAMENTOS

Se usa frecuentemente en letreros.

VII. CAMBIA AL PLURAL.

Ej. Se vende esta casa.
Se venden estas casas.

1. Se necesita una secretaria.

2. Se rompió un vaso.

3. Se renta departamento.

4. Se firmó el contrato.

5. Se necesita una máquina.

6. Se vende este coche.

7. Se supo la noticia.

8. Se paga un peso.

VIII. CAMBIA. USA SE.

Ej. Roberto distribuye el dinero entre todos.
Se distribuye el dinero entre todos.

1. Juan hace letreros.

2. Aprenden mucho con ese maestro.

3. Mi hermano renta una casa.

4. En la oficina saben la noticia.

5. Ellos arreglan máquinas de escribir.

6. Ese muchacho distribuye programas.

7. No debes generalizar.

8. La secretaria no presta los teléfonos.

9. Mi prima habla alemán.

10. El señor Gómez arregla bicicletas.

CONVERSACIÓN

IX. LEE.

En un pueblo una boda es un gran acontecimiento porque, como toda la
gente se conoce, todos participan en ella.

Además, como la vida en los pueblos es tan tranquila y casi nunca pasa
nada, cuando hay una boda, una muerte, un nacimiento, se vuelve algo
muy especial.

Los preparativos para una boda empiezan con mucha anticipación. La
primera fiesta es cuando la familia del novio va a la casa de la
novia a "pedir su mano".

Unos días antes de la ceremonia religiosa, los novios se casan por
lo civil, esto es, oficialmente, con un juez.

Pero la ceremonia verdaderamente importante es la boda religiosa. Toda
la familia y amigos de la casa colaboran en la organización. La iglesia,
las invitaciones, el vestido, los invitados, todo es importante.

El vestido lo hace la mejor modista del pueblo. La madre de la novia
—personaje importante en esta ceremonia— opina y ayuda a la novia
a escoger la tela y el modelo. Cuando el vestido está listo, lo llevan
a la casa de la novia. Nadie debe verlo antes de la boda.

Los novios tienen que distribuir las invitaciones personalmente. Muchas
veces deben viajar, con la mamá de la novia, a otras ciudades para
llevarlas. No es correcto, de acuerdo con la etiqueta, mandar las
invitaciones por correo.

La comida de la boda se empieza a preparar con varias semanas de
anticipación.

Un plato típico de esta clase de bodas es el mole. Para hacerlo se
necesita mucho tiempo. Las mujeres de la provincia son expertas en su
preparación. Es un platillo muy sabroso que generalmente se sirve con
consomé, arroz, frijoles y tortillas.

Además de la comida se sirven muchos dulces hechos en casa. La abuela,
las tías y las amigas preparan el de su especialidad. El resultado es
una gran variedad de dulces muy sabrosos. También se sirve pastel y
diferentes bebidas.

El día de la boda, ponen en la iglesia una gran cantidad de flores y
luces y una alfombra roja desde la puerta hasta el altar. La música
es también un aspecto muy importante de la ceremonia.

La novia llega a la iglesia en coche con su papá. En la puerta está
el novio con todos los invitados esperándola. Toca la música y se
inicia la ceremonia.

La fiesta se hace en el patio. Toda la casa de la novia —desde la
puerta hasta el patio— se adorna con flores blancas. En cada una
de las mesas se ponen flores también.

La música empieza a tocar cuando entran los novios y se inicia la fiesta.
Estas bodas generalmente resultan muy alegres.

Además de la gente del pueblo, van los parientes y amigos de otras
ciudades. Hay mucho que platicar y contar.

Como en los pueblos todos se conocen, todos están invitados a la boda. La
puerta de la calle se queda abierta y constantemente entran y salen.

Después de comer y de brindar, tocan la canción favorita de los novios:
es el momento de empezar el baile. La fiesta se acaba a las cuatro o
cinco de la mañana, pero los novios se van antes, sin despedirse.
Generalmente se van de viaje a la playa o a otra ciudad.

X. CONTESTA.

1. ¿Cómo es la vida en los pueblos?

2. ¿Te gustaría vivir en un pueblo? ¿Por qué?

3. ¿Es importante una boda? ¿Por qué?

4. ¿Cuándo empiezan los preparativos?

5. ¿Cuál es la ceremonia más importante?

6. ¿Compra la novia su vestido?

7. ¿Cómo mandan las invitaciones?

8. ¿Qué sirven de comer en esta clase de bodas?

9. ¿Has comido mole y frijoles?

10. ¿Qué más se sirve de comer?

11. ¿Cómo arreglan la iglesia?

12. ¿Hay música?

13. ¿Has ido a una boda en México?

14. ¿Dónde hacen la fiesta?

15. ¿Cómo arreglan la casa?

16. ¿Cuándo empieza el baile?

17. ¿A qué hora se acaba la fiesta?

18. ¿Son muy diferentes las bodas en tu país?

19. ¿Has ido a una boda en otro país?

20. ¿Cuál es la principal diferencia?

LECCIÓN 14

- Te gustó la boda, ¿verdad David?
- Claro que sí. Me divertí mucho.
- Sí, lo notamos. No dejaste de bailar ni un minuto.
- Es que la música mexicana es muy alegre y las muchachas muy guapas. La comida estuvo riquísima. La gente muy amable. Me sentí como en mi casa. Creo que aquí, en la ciudad, las cosas son muy diferentes.
- La razón es obvia; la gente de los pueblos es muy conservadora porque vive en un grupo social más pequeño. Por eso las costumbres y tradiciones se conservan.
- Una cosa que me llamó la atención es que casi todos son parientes.
- Sí, es verdad, las familias mexicanas son muy grandes. Yo, por ejemplo, tengo setenta primos. Son los hijos de los nueve hermanos de mi mamá y de los cinco de mi papá.
- ¡Qué barbaridad! Yo sólo tengo tres.

Pasa por los niños.
Pasaría por ellos pero no tengo coche.

Regresen en la tarde.
Regresaríamos pero vamos a ir al centro.

Invierte en una pequeña industria.
Invertiría* pero ya gasté el dinero.

Hablen sobre costumbres y tradiciones.
Hablaríamos pero no tenemos la información.

Organicen una fiesta.
La organizaríamos pero tenemos que estudiar.

Llama a tu ayudante.
Lo llamaría pero no sirve el teléfono.

POSPRETÉRITO

(COMO CONDICIONAL)

14.1

Iría pero no puedo.

Podrías ser más amable.

Expresa condición o
probabilidad.

Deberías regresar

antes de las ocho.

deberia + infinitivo
Expresa consejo. Se refiere
también a una especie de
obligación moral.

Me gustaría mucho

ir a Holanda.

gustaría + infinitivo
Expresa deseo de realizar

una acción.

* Verbo irregular

I. FORMA UNA ORACIÓN. USA <u>PERO</u>.

    Ej. Compra esos discos.
       <u>Los compraría pero</u> no tengo dinero.

    1. Organicen una reunión.
    2. Pase usted por los muchachos.
    3. Brinden con los novios.
    4. Prepara un platillo típico.
    5. Renten un departamento.
    6. Distribuye el trabajo entre todos.
    7. Participa en la clase.
    8. Colaboren en la organización.
    9. Pertenece a un grupo político.
   10. Conserven los papeles.

II. FORMA UNA ORACIÓN. USA <u>DEBER</u>.

    Ej. Jorge es poco amable.
       <u>Debería ser</u> más amable.

    1. Tienen un departamento sucio.
    2. Esas empleadas no son trabajadoras.
    3. El café no está muy caliente.
    4. Elena no usa ropa elegante.
    5. Compraste un sillón incómodo.
    6. Ese hombre es muy cobarde.
    7. Los muchachos son impuntuales.
    8. La carne no está bien cocida.
    9. El señor López es poco diplomático.
   10. El problema no está muy claro.

III. CONTESTA. USA <u>EL POSPRETÉRITO</u>.

    Ej. ¿Vas a ir a Cuernavaca?
       Me gustaría pero no puedo.

    1. ¿Van a salir hoy en la noche?
    2. ¿Piensas rentar un departamento?
    3. ¿Les interesa colaborar con nosotros?
    4. ¿Vas a distribuir los temas hoy?
    5. ¿Van a ir a las conferencias?
    6. ¿Van a preparar platillos típicos?
    7. ¿Piensas llevar las invitaciones?
    8. ¿Van a traer a sus niños?
    9. ¿Vas a comprar un paraguas?
   10. ¿Vamos a saber los resultados hoy?

Sabía que llamarías.

Dijimos que llovería.

OBSERVA:

El término de la acción del verbo que está en pospretérito

(llamarías, llovería) es indeterminado.

Cuando decimos:

Sabía que llamarías.

la acción de llamar puede referirse al pasado, al presente o

al futuro.

(llamaste) PASADO

Sabía que llamarías.　　　(estás llamando) PRESENTE

(vas a llamar) FUTURO

IV. CAMBIA.

Ej. Juan dijo: "No vendré".
Juan dijo que no vendría.

1. Te contesté: "No lo haré".
2. Escribimos: "Valdrá la pena ir".
3. Carlos entendió: "No tendré tiempo".
4. Nos dijeron: "No habrá comida".
5. Pensé: "Luis podrá hacer el trabajo".
6. Les gritaron: "Vendrá la policía".
7. Contestamos: "No habrá luz".
8. Entendí: "No tendremos tiempo".
9. Carmen dijo: "Hará mucho frío".
10. Pensamos: "Tendrá que regresar".

Estaban arreglando la casa con flores.
Las flores con que adornaban la casa eran blancas.

Haremos el viaje en barco.
El barco en que haremos el viaje es muy grande.

Está hecho de un material sintético.
El material de que está hecho es sintético.

QUE
(RELATIVO) **14.2**

Cuando que sustituye un sustantivo (o frase nominal) precedido de una preposición, ésta se antepone al relativo:

Encontré el artículo en un libro.

El libro en que encontré el artículo está en la biblioteca.

ATENCIÓN:
Cuando el antecedente es una persona precedida de una preposición, no se usa que.

ATENCIÓN:
En español generalmente no se omite el pronombre relativo.

RECUERDA:

QUE 〈 personas
      cosas

El niño que está allí es su hijo.
El libro que leí es interesante.

ATENCIÓN:
preposición + que

(sólo para cosas)

V. FORMA UNA ORACIÓN.

Ej. Hablábamos de historia.
El tema de que hablábamos es muy interesante.

1. Sirvieron la carne con arroz.
2. Hablaban de leyendas indígenas.
3. Los papeles están en la mesa.
4. Brindamos con tequila.
5. Estaba pensando en esa película.
6. Mi amiga fuma con filtro.
7. Hay que poner la medicina en ese lugar.
8. Adornaron el patio con flores.
9. El doctor se quejaba de su coche.
10. Estuvimos estudiando en otro libro.

VI. FORMA UNA ORACIÓN.

Ej. Juan viene en coche. Es un coche moderno.
El coche en que viene Juan es moderno.

1. Tomé café con leche. La leche estaba descompuesta
2. Leí en un libro la historia de México. El libro es de historia universal.
3. Borramos con una goma. Es una goma azul.
4. Hablábamos de cine. El tema es interesante.
5. Está hecho de madera. Es una madera importada.
6. Tiene sus lápices en una bolsa. La bolsa es muy vieja.
7. Fui a la fiesta con un vestido nuevo. El vestido es de mi amiga.
8. Tomé café en esa taza. La taza es nueva.
9. Hablaban de la grabadora. La grabadora no sirve.
10. Escribí los verbos en un cuaderno. El cuaderno es de biología.

Estuve platicando con el doctor.
El doctor con quien estuve platicando
es profesor de la Facultad.

Luis ayudó a esos muchachos.
Los muchachos a quienes ayudó Luis
son hijos de Teresa.

Los niños se estuvieron riendo de esa señora.
La señora de quien se estuvieron riendo
es tía de Jorge.

QUIEN-QUIENES

(RELATIVOS)

14.3

> Cuando el antecedente es una
> persona precedida de una
> preposición, se usa quien o
> quienes.
>
> El niño con quien hablé.
> Los niños con quienes hablé.

ATENCIÓN:

El niño se ríe con la señora.

El niño se ríe de la señora.

reírse < con / de

quejarse < con / de

hablar < con / de

preguntar < por / a

177

VII. CAMBIA COMO EN EL EJEMPLO.

Ej. Nos quejamos de los empleados.
Los empleados de quienes nos quejamos no están aquí.

1. Estaba discutiendo con el ayudante.
2. La policía amenazó a esos muchachos.
3. Estuvieron bromeando con la secretaria.
4. Se rieron de la señora.
5. Luis bailó con esa muchacha.
6. Pregunté por las enfermeras.
7. Estuve cuidando a los niños.
8. Luisa preguntaba por el doctor.
9. Ayer estuvieron hablando de la señora.
10. Estuve discutiendo con los empleados.

VIII. FORMA UNA ORACIÓN.

Ej. Platiqué con la señora. Es una actriz famosa.
La señora con quien platiqué es una actriz famosa.

1. Me quejé con ese señor. Es el encargado.
2. Hablaban de los niños. Son hijos de Ana Luisa.
3. Preguntaron por la doctora. No está aquí.
4. Estuvimos observando a esos muchachos. Son muy flojos.
5. Se reían de esos empleados. Están borrachos.
6. Hablan mucho de la secretaria. Trabaja muy bien.
7. Saludaron a los señores. Son mis abuelos.
8. Estuve platicando con un muchacho. Es holandés.
9. Brindaron por sus parientes. Viven en Puebla.
10. Nos quejamos del maestro. No viene casi nunca.

Comí en un lugar donde sirven
un mole riquísimo.

Fueron a un pueblo donde hay
muchas artesanías.

Nos quedamos en el hotel donde
estaban tus primos.

DONDE

> Se usa cuando el antecedente
> expresa lugar:
>
> También puede ir precedido
> por una preposición:

La casa <u>donde</u> viven
es muy antigua.

La librería <u>en donde</u> compra
los libros es muy grande.

IX. CAMBIA COMO EN EL EJEMPLO.

   Ej. Comieron <u>en</u> la cafetería.
       La cafetería <u>en donde</u> comieron no es muy buena.

1. Ayer fui al mercado.
2. Comieron en un restaurante.
3. Se quedaron en el hotel.
4. Estuvimos en un pueblito.
5. Vivo en un departamento.
6. Lo compró en una boutique.
7. Trabajan en una fábrica.
8. Vamos a la oficina.
9. Hubo un problema en un banco.
10. Hicieron la fiesta en el patio.

X. FORMA UNA ORACIÓN.

   Ej. Estuvimos <u>en</u> ese hotel. Es muy agradable.
       El hotel <u>en donde</u> estuvimos es muy agradable.

1. Trabajo en una escuela. Es muy grande.

2. Fueron a una tienda. Es muy elegante.

3. Vimos las piezas en el museo. Es una joya.

4. Conocimos a Jorge en una reunión. Estuvo muy alegre.

5. Buscan empleados en la oficina. Está en el centro.

6. Fuimos a la playa. Está llena de palmeras.

7. Nací en esa casa. Es muy vieja.

8. Capturaron al hombre en la calle. Estaba llena de gente.

9. Se quedaron en un pueblito. Es tranquilo y agradable.

10. Estudiamos en la universidad. Es muy famosa.

XI. COMPLETA. USA <u>QUE</u>, <u>QUIEN</u>, <u>QUIENES</u>, <u>DONDE</u>.
RECUERDA LAS PREPOSICIONES.

1. Estuve platicando con una señora muy agradable.

   La señora _____ estuve platicando es tía de Margarita.

2. ¿Te gustaron los discos _____ trajo Manuel?

3. Estudié en esa universidad.

   La universidad _____ estudié es muy buena.

4. Se estuvieron quejando de los empleados.

   Los empleados _____ se estuvieron quejando no trabajan en la facultad.

5. El mes pasado fuimos a la playa.

   En la playa _____ fuimos, el agua es clara y limpia.

6. Conocimos a un primo de Manuel.

   El muchacho _____ conocimos sabe mucho de costumbres latinoamericanas.

7. Preguntaban por el doctor López.

   El doctor _____ preguntaban no viene en las tardes.

8. Están buscando el paraguas.

   El paraguas _____ están buscando está en el coche.

9. Encontraron el libro en la biblioteca.

   La biblioteca _____ encontraron el libro está en el centro.

10. Se estuvieron riendo de esa señora.

    La señora _____ se estuvieron riendo está bastante enojada.

11. Vine con unos estudiantes.

    Los muchachos _____ vine regresan mañana a su país.

12. Hablan de la fiesta.

    La fiesta _____ hablan fue en casa de Ana Luisa.

¿Por qué no hay luz?
<u>Es que</u> está lloviendo mucho.

¿Están enojados?
No, <u>es que</u> estamos un poco enfermos.

Estuviste contento, ¿verdad?
Sí, <u>es que</u> conocí a una muchacha muy interesante.

ES QUE...

14.5

Introduce una oración en la que se esclarece o asegura cuál es la verdadera situación.

Es que = la realidad es...

la verdad es...

XII. CONTESTA. USA ES QUE.

Ej. ¿Por qué está enfermo el bebé?
Es que tomó leche descompuesta.

1. ¿Te sientes mal?
2. ¿Por qué no vino usted ayer?
3. ¿Le molestó mi opinión a Tere?
4. ¿Está usted enfermo?
5. ¿No te gustó la fiesta?
6. Regresaron muy temprano, ¿verdad?
7. ¿Por qué está enojado Carlos?
8. ¿Están ustedes cansados?
9. No compraste el coche, ¿verdad?
10. ¿Por qué no fueron a la conferencia?

Roberto dejó de fumar hace dos años.

Dejé de estudiar piano hace mucho.

El año pasado dejaron de pintar.

Hace dos años que dejé de trabajar allí.

¿Dejaste de ir a esas reuniones?

DEJAR DE + INFINITIVO

14.6

Indica el final de una acción.

Dejé de ir al club hace mucho.

XIII. FORMA DOS ORACIONES. USA <u>DEJAR DE + INF</u>.

Ej. Luis fumaba mucho. No fuma hace tres meses.
Luis dejó de fumar hace tres meses.
Hace tres meses que Luis dejó de fumar.

<u>RECUERDA</u>:
No voy <u>hace</u> mucho.
o
<u>Hace</u> mucho <u>que</u> no voy.

1. Estudié francés. No lo estudio hace un año.

2. Compraban en ese mercado. No compran allí hace mucho.

3. Hacía mucho ejercicio. No hago ejercicio hace dos meses.

4. Ellos daban clases de inglés. No las dan hace poco.

5. Rosa nadaba todos los días. No nada hace varios meses.

6. Antes leía novelas de misterio. No las leo hace mucho.

7. Visitábamos a Teresa. No la visitamos hace tiempo.

8. Jorge tomaba mucho. No toma hace varios meses.

9. Usábamos ese jabón. No lo usamos hace tres semanas.

10. Luis cantaba cuando era joven. No canta hace unos años.

XIV. LEE.

Las familias mexicanas son muy unidas y muy grandes. El número de hijos
varía mucho en la ciudad, en la provincia y en el campo; pero en general,
no son menos de cuatro. En el campo pueden llegar hasta doce o quince.
Todas las actitudes tienen una raíz histórica. ¿Por qué existe el sentido
de unidad en las familias mexicanas? La respuesta la encontramos en
nuestro origen español. De ellos nos viene la costumbre de trabajar
en familia, sobre todo en el campo. Pero, incluso, en las ciudades
en donde no hay industria grande, se organizan pequeñas industrias en
las casas. Consecuentemente la relación entre padres e hijos es muy
fuerte. Si tienen una tienda, una zapatería, una pequeña industria,
todos trabajan allí: el abuelo, los tíos, los hijos y los nietos.

En los países desarrollados, Estados Unidos, por ejemplo, la industrialización ha sido muy rápida. La gente, por su trabajo, se tiene que ir de un lugar a otro con frecuencia y se pierde el contacto cercano con la familia.

En las zonas rurales de México, un hijo se considera casi como una inversión. En el futuro será un ayudante en los trabajos del campo.

La ignorancia hace que los campesinos no consideren la posibilidad de controlar el crecimiento de la familia.

En las ciudades las familias son menos numerosas porque las condiciones de vida son muy diferentes.

El crecimiento de la población ha sido muy grande en los últimos años. En 1950 había en México 26 millones de habitantes. En 1975 había 60 millones, aproximadamente.

XV. CONTESTA.

1. ¿Son muy grandes las familias mexicanas?
2. ¿Son muy grandes en tu país?
3. ¿Por qué son tan unidas las familias?
4. ¿Cómo trabajan en las pequeñas industrias?
5. ¿Cómo consideran al hijo en las zonas rurales?
6. ¿Son ignorantes los campesinos?
7. ¿Hay problemas de población en México?
8. ¿Cuántos habitantes había en 1950?
9. Y, ¿en 1975?
10. ¿Cuántos habitantes hay en tu país?
11. ¿Cuántas personas hay en tu familia?
12. ¿Cuántos hijos piensas tener?

LECCIÓN 15

—Cada día que pasa estoy más seguro de la gran relación que hay entre la lengua y la cultura.

—¿Por qué lo dices?

—Porque cuando veo o aprendo algo nuevo sobre la cultura o el pensamiento de ustedes, aprendo algo más sobre la la lengua también. Por ejemplo, todo esto de la familia y de las costumbres que me interesa tanto, me ayuda a entender mejor la lengua. He estado pensando mucho en los indígenas. ¿Cómo viven? ¿Se puede visitar las comunidades? ¿Hablan español?

—Oye, David, quieres saber todo al mismo tiempo. Mira, hay muchos libros sobre las culturas indígenas. Creo que puedes conseguir algunos y leer cosas interesantes.

—¿Tú has leído mucho?

—Algo. Últimamente he estado leyendo un libro muy interesante. Es de Francisco Rojas González y tiene un cuento precioso acerca de una boda indígena. Se llama "Los novios". Deberías leerlo.

—Sí, claro que sí.

¿Qué le pasa al perro?

Quién sabe. Ha <u>estado gruñendo</u> toda la noche.

¿Están muy cansados?

Claro, <u>hemos estado cortando</u> leña toda la mañana.

¿Estuviste sentado toda la tarde?

No, <u>he andado buscando</u> un bastón que perdí.

¿Qué han estado haciendo?

<u>Hemos estado observando</u> al alfarero.

¿Por qué estás enojado con Juanito?

Porque <u>ha estado escondiendo</u> nuestros lápices.

ANTEPRESENTE +
GERUNDIO

15.1

El gerundio le agrega al antepresente una idea de continuidad o de repetición.	He visitado un pueblito precioso. He estado visitando unos pueblitos preciosos.

I. CAMBIA COMO EN EL EJEMPLO.

Ej. He buscado mi bastón.
He estado buscando mi bastón.

1. Hemos leído varios libros sobre los indígenas.

2. Han escondido los regalos.

3. ¿Has cortado leña?

4. He observado las costumbres de los indios.

5. Han leído esos cuentos.

6. Hemos arreglado el departamento.

7. Han visitado comunidades indígenas.

8. Hemos colaborado con los empleados.

9. ¿Has observado la etiqueta indígena?

10. Han preparado la comida para la boda.

II. CONTESTA.

Ej. ¿Han hablado por teléfono?
Sí, han estado hablando toda la tarde.

1. ¿Ha llamado Ana Luisa?
2. ¿Han preguntado por Jorge?
3. ¿Has leído mucho?
4. ¿Han visto las fotos?
5. ¿Han jugado los niños?
6. ¿Has estudiado mucho?
7. ¿Ha tocado la guitarra Luis?
8. ¿Han visitado las comunidades?
9. ¿Has buscado tu bastón?
10. ¿Han recibido cartas?

El alfarero ha pintado <u>un cántaro</u>.

<u>Lo</u> ha pintado.

El alfarero ha estado pintando <u>un cántaro</u>.

<u>Lo</u> ha estado pintando.

Ha estado pintándo<u>lo</u>.

Hemos traído <u>flores para María</u>.

<u>Se las</u> hemos traído.

Hemos estado trayendo <u>flores para María</u>

<u>Se las</u> hemos estado trayendo.

Hemos estado trayéndo<u>selas</u>.

Han construido <u>unos jacales</u>.

<u>Los</u> han construido.

Han estado construyendo <u>unos jacales</u>.

<u>Los</u> han estado construyendo.

Han estado construyéndo<u>los</u>.

<u>Les</u> ha sonreído* a los niños.

<u>Les</u> ha sonreído.

<u>Les</u> ha estado sonriendo a los niños.

<u>Les</u> ha estado sonriendo.

Ha estado sonriéndo<u>les</u>.

* Verbo irregular

ANTEPRESENTE + GERUNDIO

15.2

> **RECUERDA:**
>
> El gerundio se forma:
>
> cant - ando
>
> com
>   + iendo
> viv

> Cuando la forma <u>antepresente + gerundio</u> lleva un pronombre de o.d. de o.i. o reflexivo, el pronombre se coloca <u>antes</u> del verbo haber:
>
> > <u>Lo</u> he estado llamando.
>
> o <u>después</u> del gerundio:
>
> > He estado llamándo<u>lo.</u>
>
> En este caso, el gerundio y los pronombres forman una sola palabra.

III. CAMBIA COMO EN EL EJEMPLO.

> Ej. <u>Lo</u> he estado admirando.
> He estado admirándo<u>lo.</u>

> **OBSERVA:**
>
> <u>gerundio + pronombre</u> lleva acento escrito.

1. Me han estado sonriendo.
2. Lo he estado construyendo.
3. Se han andado escondiendo.
4. Los ha estado besando.
5. Nos hemos estado sintiendo mal.
6. Los han estado viendo.
7. Me he estado pintando las uñas.
8. La hemos estado abrazando.
9. ¿Le has estado sonriendo?
10. Le he estado preguntando.

IV. CAMBIA COMO EN EL EJEMPLO.

Ej. He estado preguntándo<u>les</u>.
<u>Les</u> he estado preguntando.

1. Hemos estado escondiéndonos.

2. Han estado conservándolo.

3. He seguido preguntándoles.

4. Hemos estado organizándolos.

5. ¿Han andado buscándola?

6. Ha estado imaginándose cosas.

7. Han andado distribuyéndolos.

8. Han estado produciéndolas.

9. ¿Has seguido ayudándolas?

10. He estado sintiéndome mal.

V. SUSTITUYE EL O.D. FORMA DOS ORACIONES.

Ej. Hemos estado observando al alfarero.
<u>Lo</u> hemos estado observando.
Hemos estado observándo<u>lo</u>.

1. Ha estado construyendo un jacal.
2. Han andado escondiendo los paraguas.
3. Hemos seguido visitando las comunidades.
4. Ha estado llamando a la niña.
5. Han estado consiguiendo las revistas.
6. Hemos estado leyendo cuentos de ese autor.
7. He estado viendo unas fotos preciosas.
8. Ha estado besando al bebé.
9. Hemos estado buscando esos artículos.
10. Han estado abrazando a los niños.

VI. CONTESTA. USA PRONOMBRES DE O.D. Y DE O.I.

Ej. ¿Has estado ayudando a Teresa?
    Sí, he estado ayudándola.

1. ¿Has estado buscando el paraguas?

2. ¿Han estado consiguiendo los libros?

3. ¿Has estado llevándole trabajo a Rosa?

4. ¿Han seguido tomando esos cursos?

5. ¿Has andado distribuyendo las medicinas?

6. ¿Han estado contratando empleados?

7. ¿Ha seguido usted tomándole fotos?

8. ¿Has estado oyendo la grabadora?

9. ¿Has andado escondiéndome mis llaves?

10. ¿Ha estado limpiando los vidrios?

Entran los visitantes haciendo caravanas.

El hombre contesta mintiendo.

Lo dijo repitiendo algo que ya ha dicho.

Bajó la cabeza escondiendo su inquietud.

Nos extasiamos oyendo el murmullo del río.

Se alejaron corriendo por el camino.

Oyendo esa canción, recuerdo a Luis.

Hablando sobre arte, pensé en tu libro.

EL GERUNDIO

- El gerundio en español tiene carácter de <u>adverbio</u>.

- Se usa para indicar un evento que se efectúa <u>al mismo tiempo</u> que la acción del verbo principal. Es decir, hay simultaneidad en el tiempo.

<u>OBSERVA</u>:   Entraron haciendo caravanas.

- <u>haciendo</u> tiene carácter de adverbio.
  Es el <u>modo</u> del verbo entrar. Responde a ¿cómo entraron?

- <u>hacer caravanas</u> es un <u>evento</u>; es algo que está sucediendo.

- <u>hacer</u> y <u>entrar</u> son dos acciones simultáneas en el tiempo.

En español, no decimos:

                    Una canasta ~~conteniendo~~ dulces.

Porque   <u>contener</u> no es un evento. Es un estado estático.

Tampoco decimos:

                    ~~Las muchachas viviendo aquí.~~

                    ~~Nadando es bueno para la salud.~~

porque no tienen carácter adverbial.

Diríamos: Una canasta con dulces.
                   Una canasta que contiene dulces.
                   Las muchachas que viven aquí.
                   Nadar es bueno para la salud.
                   La natación es buena para la salud.

El perro está gruñendo.

Estuve esperándote.

Estábamos descansando.

VII. SUSTITUYE.

A. Ej. Oyendo ese disco me acuerdo de Carlos.
     (pienso en ella)
     Oyendo ese disco pienso en ella.

1. Regresando a mi casa vi a José Luis.
   (tuve un accidente) (pasé por los niños)
   (me empezó el dolor) (encontré a tus suegros)
2. Viendo la televisión no podemos trabajar.
   (es difícil escribir) (supimos del accidente)
   (empezó el problema) (oímos el ruido)
3. Hablando con Margarita, recordé el problema.
   (pensé en ti) (discutimos la conferencia)
   (supe la verdad) (entendí la situación)

B. Ej. Oyéndote platicar recordé a tu hija.
     (viéndote sonreír)
     Viéndote sonreír recordé a tu hija.

1. Entraron los visitantes haciendo mucho ruido.
   (hablando muy fuerte) (saludando amablemente)
   (haciendo caravanas) (riéndose y platicando)
2. Volviendo de la escuela pensé en esto.
   (regresando a la casa) (yendo al centro)
   (viniendo aquí) (saliendo de mi casa)
3. Vimos a unos perros peleándose en el parque.
   (jugando en la calle) (brincando en el jardín)
   (gruñendo muy fuerte) (cuidando a un niño)

VIII. COMPLETA. USA <u>GERUNDIO</u> O <u>INFINITIVO</u>.

1. Voy a salir después de _____.
   (desayunar)
2. _____ de mi casa, vi el choque.
   (regresar (yo))
3. Entiendo mejor el problema _____ al profesor.
   (oír)
4. _____ a esa hora es absolutamente imposible.
   (llegar)
5. Salieron los muchachos y regresaron sin _____ nada.
   (arreglar)
6. _____ con Luis supe la verdad.
   (hablar)
7. Me parece tonto _____ tanto tiempo.
   (esperar)
8. Escribimos el artículo _____ nuestras ideas.
   (intercambiar)
9. Creo que es mejor _____ impermeable.
   (llevar)
10. _____ tantas medicinas no es conveniente.
    (tomar)
11. _____ la escalera me lastimé la pierna.
    (subir)
12. Vimos a unos niños _____ gimnasia.
    (hacer)

IX. FORMA UNA ORACIÓN.

   Ej. Pasé por tu casa. Vi la ambulancia.
       Pasando por tu casa, vi la ambulancia.

1. Llegamos a la oficina. Oímos el ruido.
2. Entraron al salón. Supieron sobre el problema.
3. Regresó del cine. Vio el choque.
4. Hablé con ellos. Entendí el artículo.
5. Pregunté a todo el mundo. Supe las direcciones.
6. Caminó por el centro. Encontró a Jorge.
7. Hice gimnasia. Me rompí la pierna.
8. Distribuimos los papeles. Conocimos a tu hijo.
9. Invirtieron en esa industria. Ganaron dinero.
10. Pasé por tu escuela. Vi a tu maestra.

¿Quieres este pan?
No, prefiero el que tiene miel.

¡Qué bonita tórtola!
¿Cuál? ¿La que está en la jaula?

¿Cuáles sombreros compraron?
Los que vimos en el mercado de artesanías.

¿Cuáles son tus hijas? ¿Las que están paradas?
No, las que están sentadas.

EL QUE, LA QUE, LOS QUE, LAS QUE

(RELATIVOS)

15,4

Los que vimos.

La que te gusta.

> El artículo se antepone al relativo
> que, cuando no hay antecedente expreso.

OBSERVA:

Quiero el pan que tiene miel.

que introduce una

oración adjetiva;

que tiene miel equivale

exactamente a un adjetivo.

Podríamos decir:

pan ⟨ que tiene miel.
      dulce.

Quiero el que tiene miel.

(el pan)

el que introduce una

oración sustantiva;

el sustituye al antecedente.

Toda la oración funciona como

un sustantivo del verbo

"quiero". Es el objeto directo.

Quiero el pan. → Lo quiero.

X. FORMA DOS ORACIONES.

Ej. Quiero un cántaro. Tiene flores.
Quiero el cántaro que tiene flores.
Quiero el que tiene flores.

1. Nos gustó el pan. Tenía miel.
2. Compraron unos sombreros. Los vieron en el mercado.
3. Vimos unas palmeras. Estaban llenas de cocos.
4. Ando buscando el paraguas. Lo compré ayer.
5. Necesito los artículos. Los escribió el maestro López.
6. Se enfermó la tórtola. Está en la jaula verde.
7. Saluden a las señoras. Vinieron con Luisa.
8. Comimos los frijoles. Estaban en la cocina.
9. Perdí la boquilla. Me la trajiste de Francia.
10. Comí un platillo típico. Tú me lo sugeriste.

XI. COMPLETA. USA EL QUE, LA QUE, LOS QUE, LAS QUE.

1. ¿Cuál es tu abrigo?
   _____ está sobre la silla.

2. ¿Son éstas tus fotos?
   No, las mías son _____ tiene Jorge.

3. ¿Cuáles son tus invitados?
   _____ están sentados allá.

4. Mira ese jacalito.
   ¿Cuál? ¿_____ tiene muchas flores?

5. ¿Esta es mi invitación?
   No, la tuya es _____ está en el escritorio.

6. Perdí mi impermeable.
   ¿Cuál? ¿_____ me gustaba tanto?

7. Hemos observado sus costumbres.
   _____ más me interesan son las de los indígenas.

8. ¿Cuáles son los hijos de Rosa?
   Son _____ están parados cerca de la oficina.

9. Hablábamos de tradiciones.
   Las de estos pueblos son _____ más me interesan.

10. ¿No vieron a mi gato?
    Sí, creo que era _____ estaba jugando en el patio.

196

Todos oyeron <u>lo que</u> dijiste.

Me encantó <u>lo que</u> trajeron.

<u>Lo que</u> nos gusta es el ambiente.

Les molestó <u>lo que</u> opinaron de su trabajo.

LO QUE

> Introduce una oración
> subordinada sustantiva.
> Se refiere a una idea
> o a una acción.

15.5

XII. FORMA UNA ORACIÓN.

Ej. Habló de arte. Me interesa mucho.
Me interesa mucho <u>lo que</u> habló.

1. Dijeron cosas interesantes. Les gustó mucho.

2. Llevaron unas fotos. Nos encantó.

3. Dijeron muchas cosas. A Luis no le interesa.

4. Opinan sobre la situación. Les molesta.

5. Ella lo explicó. Nadie entendió.

6. Leyó un artículo. Nos pareció representativo.

7. Escribió sobre mí. No me interesa.

8. Jorge dijo muchas cosas. Todos oyeron.

9. Contestaron las preguntas. Nadie entendió.

10. Explicó el problema. No oí.

XIII. CONTESTA.

Ej. ¿Qué piensas de la situación?
Lo que pienso es que el crecimiento
de la población es un problema.

1. ¿Qué te interesó de la película?
2. ¿Qué te molesta de Jorge?
3. ¿Qué les gusta de ese pueblo?
4. ¿Qué entendiste del artículo?
5. ¿Qué sabes de la situación?
6. ¿Qué les interesa de la clase?
7. ¿Qué dijeron los estudiantes?
8. ¿Qué opinó el doctor?

XIV. COMPLETA. USA QUE, QUIEN, QUIENES, DONDE, EL QUE, LA QUE, LOS QUE, LAS QUE, LO QUE.

1. Necesito el libro _____ te presté.

2. ¿Cuál quieres? ¿_____ tiene flores o el otro?

3. Fuimos a un pueblo _____ hay muchas artesanías.

4. Las personas con _____ estuve platicando son muy agradables.

5. ¿Qué es _____ te gusta de esa casa?

6. Mira, ése es el coche _____ compró Juan.

7. Vinieron los estudiantes americanos, _____ no pudieron venir fueron los mexicanos.

8. El empleado de _____ me quejé, no vino hoy.

9. Estuvimos en el mismo hotel _____ estaban unos franceses muy simpáticos.

10. _____ dijo Jorge no es la verdad.

11. Ésta no es la grabadora. _____ yo quiero es más grande.

12. Allí están los maestros por _____ estabas preguntando.

13. El problema _____ discutíamos es la organización del trabajo.

14. _____ desapruebo es tu actitud.

15. Van a organizar una reunión. Las hermanas de Luis son _____ van a prestar la casa.

16. No entendí _____ dijo José Luis.

CONVERSACIÓN

XV. LEE.

—¿Por qué no leemos un poco, Elena?
—Bueno, un poco, porque estoy cansadísima.
—Podemos leer "Los novios", el cuento del que hablabas.
—¿Todo? Estás loco. Vamos a leer la mitad, ¿sí?
—Bueno.

LOS NOVIOS

El era de Bachajón. Venía de
una familia de alfareros. Era
hijo único, pero una inquietud
que nacía en su alma, lo alejaba
día a día de sus padres.

Hacía tiempo que el murmullo
del río lo extasiaba; le encantaba
el olor de la miel y cantaba
con frecuencia. Un día su padre
se dio cuenta. El muchacho no
volvió a cantar pero el padre
ya era dueño de su secreto.

Ella también era de Bachajón;
pequeña, redondita y suave.
Día a día, cuando iba por el
agua al río, pasaba frente a
la casa de Juan Lucas. Allí,
sentado, estaba trabajando un
joven con un cántaro redondo.
Una mañana chocaron dos miradas.
No pasó nada.

Sin embargo, desde entonces, ella caminaba más despacio cuando pasaba frente a la casa del alfarero y miraba un poquito hacia allá.

El muchacho dejaba de trabajar un momento, levantaba los ojos y seguía la figura de la muchacha que se iba por el camino.

Una tarde llena de sol el padre —indio tzeltal de Bachajón— siguió con los ojos la mirada de su hijo. Ella, al sentir los ojos del viejo, se quedó como piedra en medio del camino, mientras su cara se volvía roja de vergüenza.

—¿Ésa es?— preguntó el viejo.

—Sí— respondió el muchacho y escondió su desconcierto en su cántaro redondo.

* * * * * *

El "Principal", indio viejo, oyó atentamente a Juan Lucas:

—El hombre joven, como el viejo, necesita una compañera, que para uno es flor perfumada y para otro es bastón. Mi hijo ya ha escogido una.

—Vamos a cumplir la ley de Dios. El muchacho debe ser feliz como fuimos tú y yo un día.

—Tú dirás qué hacemos.

—Quiero pedir a la niña para mi hijo.

—Ese es mi deber como "Principal".

Juan Lucas y el "Principal" llaman a la puerta frente a la casa de la novia. Juan Lucas lleva varios regalos: un kilo de chocolate, cigarros y leña.

Poco después el ambiente se llena de la etiqueta indígena.

Después de intercambiar frase convencionales, se abre la puertecita. Gruñe un perro. Entran los visitantes con el sombrero en la mano, haciendo caravanas a todo el mundo. Al fondo del jacal, la niña hace tortillas. Su cara está roja por el fuego y por la inquietud. Parece tórtola en su jaula. Pero después se calma ante el destino que le están arreglando los viejos.

Cerca de la puerta, su padre, Mateo Bautista, mira impenetrable a los visitantes. Bibiana Petra, la madre, gorda y saludable, está muy contenta y ofrece a los visitantes dos piedras para sentarse.

—¿Sabes a qué venimos?— pregunta por fórmula el "Principal".

—No— contesta mintiendo Mateo Bautista. Pero de todos modos mi pobre casa está alegre con su visita.

—Pues, nuestro vecino Juan Lucas, quiere pedir a tu niña para su hijo.

—Mi buen vecino Juan Lucas debe saber que mi muchachita es floja, terca y tonta. Es morenita y chata. No es nada bonita... No sé, en verdad, qué le han visto...

—Yo tampoco— dice Juan Lucas— he tenido inteligencia para hacer gran cosa de mi hijo. Es una tontería querer cortar para él una florecita tan fresca y olorosa. Pero al pobre se le ha calentado la cabeza... En un rincón, Bibiana Petra sonríe; habrá boda. Lo sabe por la fuerza con que los padres tratan de desprestigiar a sus hijos.

—No, no. Los jóvenes, guiados con prudencia, son buenos— dice el "Principal"—, repitiendo algo que ha dicho muchas veces en situaciones iguales.

La niña, sobre el metate, oye. Ella es la pieza principal en este juego y, sin embargo, no tiene ni siquiera derecho de mirar frente a frente a los padres.

—Mira, vecino y buen amigo— agrega Juan Lucas— acepta estos regalos que te ofrezco.

Mateo Bautista contesta como lo ordena la etiqueta.

—No es de buena educación aceptar regalos que nos ofrecen por primera vez. Tú lo sabes... Vayan con Dios.

Los visitantes se despiden. El dueño de la casa besa la mano del "Principal" y abraza con cariño a su vecino. Salen con los regalos que la exigente etiqueta tzeltal impidió aceptar.

La vieja Bibiana Petra está feliz. El primer acto salió de maravilla. La muchacha sigue haciendo las tortillas.

XVI. CONTESTA.

1. ¿Cómo se llama el cuento? ¿Y el autor?
2. ¿Te interesan las costumbres indígenas?
3. ¿De dónde eran los novios?
4. ¿Cómo supo el padre cuál era la muchacha?
5. ¿Habló mucho con su hijo?
6. ¿Quién era el "Principal"?
7. ¿Por qué habló el padre con él?
8. ¿Adónde fueron Juan Lucas y el "Principal"?
9. ¿Es muy estricta la etiqueta indígena?
10. ¿Qué dicen los padres de sus hijos?
11. ¿Cómo está la madre de la novia?
12. ¿Qué regalos lleva Juan Lucas?
13. ¿Por qué no los acepta Mateo Bautista?
14. ¿Qué hace la muchacha todo el tiempo?
15. ¿Te parece interesante el cuento?

- Hoy vamos a leer el resto del cuento, ¿verdad?

- Sí, claro, en la noche. Es interesante, ¿no?

- Sí, mucho. Me gustaría saber si la información es exacta o si es fantasía del autor.

- Es absolutamente exacta. El autor, Francisco Rojas González, era un antropólogo famoso. Estudió sociología y etnografía. Era un gran -- observador. Su obra literaria es el resultado de la observación, no sólo de un escritor, sino de un científico.

- ¿Cómo logró obtener todos estos detalles?

- Estuvo en contacto directo con los grupos indígenas. Vivió algún tiempo en sus comunidades. Por eso en su obra literaria refleja perfectamente la vida y costumbres del indio mexicano y de los campesinos.

- ¿Es un autor contemporáneo?

- Sí, nació en 1904 y murió en 1951. ¿Nunca habías oído hablar de él?

- Nunca. Pero ahora que lo conozco, voy a leer otros de sus cuentos.

¿Ya se <u>había acabado</u> la comida cuando llegaste?

Sí, ya se <u>había acabado</u>.

¿Nunca habías leído nada de ese autor?

No, nunca. <u>Había leído</u> de otros.

¿<u>Habías oído</u> música latinoamericana antes de venir?

Sí, <u>había oído</u> algunos discos.

¿<u>Había</u> usted <u>sentido</u> antes ese dolor?

No, creo que no.

¿Ya <u>habían rentado</u> el cuarto cuando llamaron?

No, todavía no lo <u>habían rentado</u>.

EL ANTECOPRETÉRITO

Expresa: Una acción anterior a otra acción
también pasada:

Cuando llegué ya habían comido.

(<u>comer</u> es anterior a <u>llegar</u>)

16.1

Se forma:

copretérito   Participio
de haber   +   pasado

había
habías
había   comido
habíamos
habían

Es frecuente omitir el
verbo en pasado:

¿No lo habías leído?

Por el contexto o la si-
tuación se sobreentiende
"antes de ahora", "cuando
te hablé de él", etc.

I. CAMBIA COMO EN EL EJEMPLO.

Ej. <u>Cree</u> que todavía no <u>he venido</u>.

<u>Creyó</u> que todavía no <u>había venido</u>.

1. Pienso que ya han regresado de Cuernavaca.
2. Saben que no he asistido a la conferencia.
3. Creen que no han rentado el departamento.
4. Opinan que has analizado bien el problema.
5. Supongo que no han leído obras literarias.
6. Dice que el autor ha vivido con los indígenas.
7. Piensan que el doctor no ha llegado todavía.
8. Me imagino que no ha traído el resto del trabajo.
9. Opinan que ha reflejado perfectamente sus costumbres.
10. Dice que ya ha sentido este dolor antes.

II. FORMA UNA ORACIÓN.

Ej. Margarita compró un huipil. Ella lo dijo.

Margarita <u>dijo que había comprado</u> un huipil.

1. El bebé estuvo muy enfermo. La mamá nos contó.
2. Ha habido muchos problemas. Margarita lo aceptó.
3. Vinieron unos científicos alemanes. Avisaron en la oficina.
4. Ese autor ha vivido con los campesinos. Lo supe ayer.
5. Juan regresó muy borracho. Teresa me lo contó.
6. Hay vida en otros planetas. Un científico lo descubrió.
7. Rompieron unos vidrios. La muchacha se dio cuenta.
8. El maestro chocó ayer. Hoy nos lo explicó.
9. Hubo un accidente. La señora les avisó a los niños.
10. Vieron un eclipse. Los muchachos nos contaron.

III. CONTESTA. USA <u>EL ANTECOPRETÉRITO</u>.

Ej: ¿Qué contestó el doctor?

Que ya había hablado por teléfono.

1. ¿Qué avisaron los empleados?

2. ¿Qué pensó tu suegro?

3. ¿Qué opinaste sobre la situación?

4. ¿Qué contestaron en la oficina?

5. ¿Qué te dijeron en el banco?

6. ¿Qué creyeron los estudiantes?

7. ¿Qué opinó el doctor?

8. ¿Qué descubrieron los científicos?

9. ¿Qué te contó José Luis?

10. ¿Qué contestó Laura?

IV. COMPLETA. USA <u>ANTEPRESENTE O ANTECOPRETÉRITO</u>.

1. Creen que Juan no _____.
 (venir)

2. Supimos que _____ por teléfono anoche.
 (llamar) (ustedes)

3. Me doy cuenta de que ya _____ ustedes el trabajo.
 (acabar)

4. ¿Ya _____ Elsa cuando llegaste?
 (regresar)

5. Pensé que no _____ el artículo.
 (leer) (tú)

6. Ese autor no _____ nada últimamente.
 (escribir)

7. ¿No _____ a Jorge cuando te hablé?
 (ver) (tú)

8. Ya eran las nueve y los niños no _____
 (llegar)

9. ¿Todavía no _____ la comida? Ya son las tres.
 (servir) (ustedes)

10. Cuando llamé ya _____ el departamento.
 (rentar)

Queríamos comprar un huipil pero no lo encontramos.
No sé qué pasó. Pensaban venir.

El corderito obedecía * cuando lo llamaban.
Siempre se arrodillaban mientras rezaban.

Abrazaba a la muchacha cuando los vio Carlos.
Se acercaba tímidamente cuando oyó el ruido.

Abría la ventana pero me llamó Jorge.
Salíamos pero sonó el teléfono.

PRETÉRITO — COPRETÉRITO
16.2

Queríamos comprar un huipil

CAMBIO DE OPINIÓN:
La intención de realizar una acción se expresa con el copretérito.

La razón por la cual no realizamos esa acción, puede expresarse con un verbo en pretérito, en copretérito, o presente.

pero no lo encontramos.
pero no había.
pero no tenemos dinero.

El cordero obedecía cuando lo llamaban.

ACCIONES SIMULTÁNEAS:
En el pasado estas acciones se expresan con el copretérito.

* Verbo irregular

Abrazaba a la muchacha

```
Si otra acción interrumpe la
continuidad, se expresa con
el pretérito.
```

cuando los vio Carlos.

Abría la ventana

```
ACCIÓN INACABADA:
Se expresa con el copretérito.
```

```
Si hay una causa que impidió
terminar la acción, esta causa
se expresa con el pretérito.
```

pero me llamó Jorge.

```
RECUERDA:
El pretérito y el copretérito son dos formas de ver un evento en el
pasado.
El pretérito se usa para una acción perfecta, terminada.
El copretérito para una acción imperfecta, continua.
```

ATENCIÓN:

En la oración subordinada, es frecuente colocar
el sujeto después del verbo.

Distribuía los papeles cuando

~~la luz se fue.~~

se fue la luz.

~~los invitados llegaron.~~

Estaban en la cocina cuando

llegaron los invitados.

V. SUSTITUYE
   (CAMBIO DE OPINIÓN)
A. Ej. Pensaban ir pero no terminaron el trabajo.
      (se sintieron mal)
      Pensaban ir pero se sintieron mal.

   1. Me encantaba ir a ese lugar hasta que vi el accidente.
      (me enfermé allí) (me di cuenta del problema)
      (hubo un crimen) (empezó la industrialización)

   2. Fumaban mucho hasta que leyeron ese artículo.
      (oyeron la opinión del doctor) (se sintieron enfermos)
      (hablaron con el especialista) (lo supo su mamá)

   3. Intentábamos escribir pero no pudimos.
      (había mucho ruido) (estuvieron tocando la guitarra)
      (estábamos muy cansados) (se fue la luz)

   4. Querían continuar jugando pero se les acabó el dinero.
      (se les perdió la pelota) (vinieron por ellos)
      (tenían que estudiar) (Luis se lastimó una mano)

   5. Le interesaba mucho la conferencia pero se fue a Puebla.
      (tuvo que ir a la escuela) (no llegó a tiempo)
      (estuvo enfermo) (no consiguió lugar)

B. (ACCIONES SIMULTÁNEAS)
   Ej. Buscaba al niño mientras Lupe hablaba por teléfono.
      (le avisaba a la mamá)
      Buscaba al niño mientras Lupe le avisaba a la mamá.

   1. Calentaba la sopa mientras mi hija lavaba los platos.
      (ponía la mesa) (recibía a las visitas)
      (limpiaba la cocina) (servía la botana)

   2. Las mujeres rezaban cuando tenían problemas.
      (iban a la iglesia) (alguien se moría)
      (estaba enfermo el niño) (había accidentes)

   3. Siempre coincidíamos cuando íbamos a la universidad.
      (opinábamos algo) (hablábamos de música)
      (queríamos ir al cine) (escogíamos los regalos)

   4. El niño se escondía cuando veía a ese señor.
      (jugaba con el perro) (era hora de comer)
      (no quería bañarse) (se peleaba con su hermana)

   5. La abuelita sonreía cuando llegaban los niños.
      (veía a Margarita) (tenía visitas)
      (leía cuentos) (hablaba de sus tiempos)

C. (ACCIÓN CONTINUA)

Ej. Distribuían los regalos cuando se fue la luz.
(llegaron los niños)
Distribuían los regalos cuando llegaron los niños.

1. Jugaba futbol cuando se rompió una pierna.
(empezó a llover) (llegaron los otros muchachos)
(se lastimó el brazo) (pasé por allí)

2. Regresábamos del cine cuando encontramos a Jorge.
(vimos el accidente) (pasaron los muchachos)
(oímos el ruido) (se nos acabó la gasolina)

3. Veíamos la televisión cuando entraron corriendo.
(se cayó el cuadro) (llamó el carpintero)
(supimos del crimen) (llegaron las flores)

4. Platicaban tranquilamente cuando interrumpió el niño.
(intervino Ana Luisa) (entraron los perros)
(oyeron el choque) (empezó el problema)

5. María arreglaba la grabadora cuando la llamé.
(llegaron los muchachos) (se fue la luz)
(empezó a llorar el niño) (oyó el ruido)

D. (ACCIÓN INACABADA)

Ej. Salía cuando sonó el teléfono.
(noté que el perro estaba enfermo)
Salía cuando noté que el perro estaba enfermo.

1. Adornaban la casa cuando se acabaron las flores.
(se fue la luz) (llegaron los invitados)
(se sintió mal Carmen) (se rompió el vidrio)

2. El bebé se quejaba mucho cuando lo oímos.
(llegó la mamá) (lo vieron sus hermanos)
(hablé por teléfono) (llamaron al doctor)

3. Me peinaba cuando oí gritar a los niños.
(llamaron por teléfono) (me hablaron de la oficina)
(supe del accidente) (me empezó el dolor)

4. Borraba el pizarrón cuando entró Teresa.
(me llamó el maestro) (llegaron los niños)
(oí el ruido) (entró el electricista)

5. Se alejaba cuando lo llamaron.
(vio los animales) (encontró a su esposo)
(le gritamos) (oyó la música)

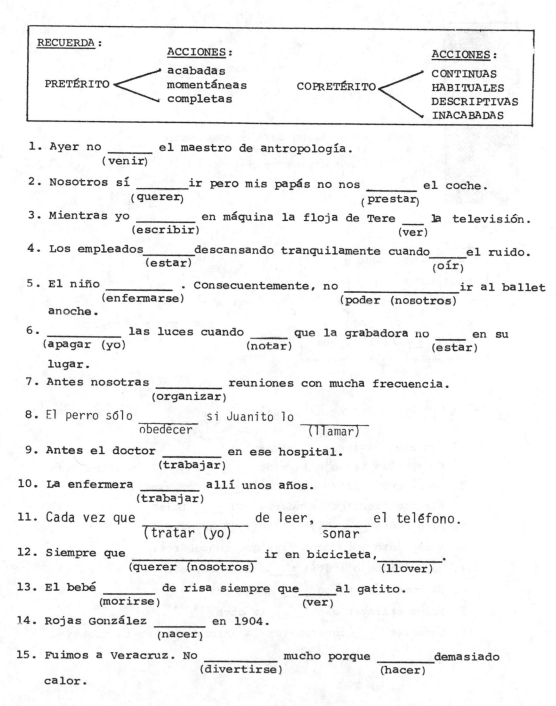

RECUERDA:

ACCIONES:

PRETÉRITO
- acabadas
- momentáneas
- completas

COPRETÉRITO

ACCIONES:
- CONTINUAS
- HABITUALES
- DESCRIPTIVAS
- INACABADAS

1. Ayer no _____ el maestro de antropología.
   (venir)

2. Nosotros sí _____ir pero mis papás no nos _____ el coche.
   (querer)   (prestar)

3. Mientras yo _____ en máquina la floja de Tere ___ la televisión.
   (escribir)   (ver)

4. Los empleados_____descansando tranquilamente cuando____el ruido.
   (estar)   (oír)

5. El niño _____ . Consecuentemente, no _____ir al ballet
   (enfermarse)   (poder (nosotros)
   anoche.

6. _____ las luces cuando _____ que la grabadora no ____ en su
   (apagar (yo)   (notar)   (estar)
   lugar.

7. Antes nosotras _____ reuniones con mucha frecuencia.
   (organizar)

8. El perro sólo _____ si Juanito lo _____
   obedecer   (llamar)

9. Antes el doctor _____ en ese hospital.
   (trabajar)

10. La enfermera _____ allí unos años.
    (trabajar)

11. Cada vez que _____ de leer, _____ el teléfono.
    (tratar (yo)   sonar

12. Siempre que _____ ir en bicicleta,_____.
    (querer (nosotros)   (llover)

13. El bebé _____ de risa siempre que____al gatito.
    (morirse)   (ver)

14. Rojas González _____ en 1904.
    (nacer)

15. Fuimos a Veracruz. No _____ mucho porque _____demasiado
    (divertirse)   (hacer)
    calor.

211

Se habla portugués e inglés.

Vinieron Ignacio e Irene.

El examen será en septiembre u octubre.

Puedes leer uno u otro.

E - U

16.3

Las conjunciones e y u sustituyen a y y o, cuando la palabra a la que anteceden empieza con i, hi o con o, ho.

Padres ✗ hijos
e

Carlos ✗ Oscar
u

VII. COMPLETA. USA Y, E, O, U.

1. Vinieron Javier _____ Margarita.

2. En su obra refleja la vida _____ ideas del indio mexicano.

3. No sé quién llamó. Era Oscar _____ Octavio.

4. Alguien tiene que ayudarme. Tú _____ Luisa.

5. ¿Son madre _____ hija? ¡Parecen hermanas!

6. Hace siete _____ ocho días que regresaron.

7. Es un trabajo inútil _____ innecesario.

8. El hombre es terco _____ exigente.

9. Podemos llevar ésta _____ la otra.

10. Estudiar _____ interpretar la información es tu trabajo.

No tengo <u>ni</u> hambre <u>ni</u> sed.

No vinieron <u>ni</u> Lupe <u>ni</u> Rosa.

<u>Ni</u> Raúl <u>ni</u> Juan regresaron.

<u>Ni</u> la casa <u>ni</u> el departamento me gustaron.

NI...NI

Es una conjunción que sirve de nexo (igual que <u>y</u>) entre dos oraciones, o dos palabras de una oración negativa.

Me gusta el té y el café. **16.4**

<u>No</u> me gusta <u>ni</u> el té <u>ni</u> el café.

<u>Ni</u> Juan <u>ni</u> Pedro vinieron.

<u>No</u> vinieron <u>ni</u> Juan <u>ni</u> Pedro.

Como los otros negativos <u>ni</u>... <u>ni</u> pueden ir antes o después del - verbo.

Cuando va después se antepone al verbo la partícula <u>no</u> .

VIII. CAMBIA COMO EN EL EJEMPLO.

   Ej. <u>Ni</u> tequila <u>ni</u> ron puedo tomar.

   <u>No</u> puedo tomar <u>ni</u> tequila <u>ni</u> ron.

1. Ni la leche ni la fruta quiere comer el bebé.

2. Ni sociología ni etnografía enseñan en esta escuela.

3. Ni cuentos ni novelas ha escrito. Él es poeta.

4. Ni primitivo ni cosmopolita parece el muchacho.

5. Ni café ni pastel toma la señora.

6. Ni azul ni verde me sirve el papel.

7. Ni chata ni fea me parece la novia.

8. Ni coches ni camionetas venden. Sólo camiones.

CONVERSACIÓN

IX.   LEE.

- Bueno, vamos a leer el resto del cuento.

La visita se repite la semana siguiente. En esta ocasión
todos deben beber y así lo hacen. Pero la petición no se
acepta y los regalos tampoco, a pesar de que han aumentado:
ahora hay jabones, azúcar y un saco de sal.

Hablan poco. No son necesarias las palabras frente a la
estricta etiqueta.

La niña ya no va por agua al río. Así debe ser. El muchacho
continúa trabajando con sus cántaros.

Durante la tercera visita, Mateo Bautista acepta con gran elegancia.
Recibe los regalos con indiferencia, a pesar de que han aumentado;
ahora hay un chal de lana, un huipil bordado con flores y mariposas de
seda, aretes y collar de alambre y un anillo de boda.
Hablan de fechas y de padrinos mientras la niña sigue moliendo * en
el metate.

***** *****

El día está cerca. Bibiana Petra y su hija no durmieron en toda la no
che. Han venido las vecinas a ver a la novia que personalmente debe
moler y preparar cientos de tortillas para la boda. Además, habrá --
mole y bebidas.

Esperan la llegada del novio. Ya está aquí. Él y ella se ven por
primera vez a corta distancia. La muchacha sonríe tímidamente; él,
serio, baja la cabeza.

El "Principal" se para en el centro del jacal. Bibiana Petra pone -
flores en el piso. Se oye la música, mientras entran los invitados.
La pareja se arrodilla. El "Principal" habla de los derechos del -
hombre y de la sumisión de la mujer; él ordena, ella obedece. A continuación rezan. La novia se para, va hacia su suegro y le besa los
pies. Él la levanta con afecto y dignidad y la entrega a su hijo.

* Verbo irregular

215

Interviene Bibiana Petra.

- Es tu esposa - le dice al novio - puedes llevarla a tu casa.

El novio contesta con la frase ritual.

- Bueno, madre, tú lo quieres...

La pareja sale lenta y humilde. Ella va detrás de él como una cordera.

Bibiana Petra, ya fuera del protocolo, llora y dice;

- Va contenta la muchacha... Hoy es el día más feliz de su vida.

Nuestros hombres no saben lo sabroso que es para las mujeres cambiar de metate.

Texto adaptado del cuento "Los novios".
Rojas González Francisco, El diosero,
Editorial F.C.E., México, 1955.

X. CONTESTA.

1. ¿Quién era Francisco Rojas González?

2. ¿Por qué refleja tan perfectamente las costumbres de los indígenas?

3. ¿Qué te pareció el cuento?

4. ¿Qué pasó en la segunda visita?

5. ¿Y en la tercera?

6. ¿Intervienen personalmente los novios en algún momento?

7. ¿Qué te interesó más del cuento?

8. ¿Hay rasgos parecidos entre esta boda y la boda de provincia?

9. ¿Te gustaría visitar alguna comunidad indígena?

10. ¿Por qué?

11. ¿Nunca habías leído un cuento sobre costumbres indígenas?

12. ¿Has leído algún libro en español?

LECCIÓN 17

—Ya que hemos estado hablando de bodas, me interesa saber si aquí en la capital, son muy diferentes.

—Sí, sí son. Ojalá puedas ir a alguna y compararla con la de mi prima.

—Como creo que no es probable, me podrás platicar algo.

—Creo que la principal diferencia es que la familia participa menos directamente en los preparativos. Por ejemplo: la iglesia. En el pueblo tú viste cómo las tías y las vecinas la arreglaron y pusieron las flores. Aquí no, aquí todo se contrata en la iglesia. Hasta hay diferentes tarifas. La iglesia cobra un precio diferente si quieres todas las luces o sólo una parte; lo mismo las flores, las alfombras y la música. Es mucho más caro que en la provincia.

—Huy. Ojalá no me case aquí. Oye, ¿y la fiesta es también muy diferente?

—Sí, también. Se sirve comida internacional. Se baila música moderna. Creo que en general hay mucha influencia extranjera.

—¡Qué lástima! Ojalá no se pierdan las tradiciones.

—¿Sabes qué podemos hacer?

—¿Qué?

—Leer sobre una boda en el periódico.

Jorge perdió su impermeable.
Ojalá lo encuentre.

Supe que estaba enfermo.
Espero que esté mejor.

Van a ir a Europa.
Deseo que se diviertan.

No vi la película ayer.
Tal vez la vea mañana.

Esa orquesta toca muy mal.
Posiblemente la otra toque mejor.

El champaña está carísimo.
Quizá sea importado.

Que te vaya bien.

Que descansen.

Que pases un buen fin de semana.

Que se diviertan.

PRESENTE DE SUBJUNTIVO

(DESEO - DUDA)

17.1

EXPRESA:

- Duda, acompañado de un adverbio de duda:

  Quizá llegue mañana.

- Deseo, acompañado de la palabra ojalá o de un verbo de deseo:

  Ojalá te diviertas.

  Deseo que te diviertas.

Con frecuencia se usa solamente que para expresar deseo:

  Que te diviertas.

Se forma:

	AR		ER - IR
cant	- e	com	- a
	es	viv	- as
	e		a
	emos		amos
	en		an

ATENCIÓN:

VERBOS IRREGULARES

DIPTONGACIÓN

(divertirse)   divierta

CAMBIO DE VOCAL

(servir)   sirva

219

I. SUSTITUYE.

    Ej. Ojalá encuentre sus libros.
        (se quede aquí)
        Ojalá se quede aquí.

    1. Ojalá lleguen a tiempo.
       (toque esa orquesta) (vayas al extranjero)
       (sirvan champaña) (visites la capital)

    2. Espero que no haga frío.
       (no llueva mucho) (regreses a tiempo)
       (se levanten a tiempo) (llegue Tere hoy)

    3. Deseamos que tengan buen viaje.
       (se diviertan) (pasen un buen fin de semana)
       (estés mejor) (vuelva pronto Rosa)

    4. Tal vez no pueda venir.
       (no tenga dinero) (haya problemas)
       (comparen las dos culturas) (nieve en diciembre)

    5. Probablemente no haya clases hoy.
       (vengan sus padres) (acepte el regalo)
       (obedezca a su tía) (regrese con Luis)

    6. Quizá regresen mañana.
       (produzcan más frijol) (dejen de molestar)
       (no refleje bien la situación) (no llueva hoy)

II. CAMBIA. USA QUIZÁ.
    Ej. Regresan mañana.
       Quizá regresen mañana.

    1. Hacemos el trabajo.
    2. Vienen el viernes.
    3. Producen más frijol.
    4. Obedece a su tía.
    5. Aumentan los sueldos.
    6. Continúan las conferencias.
    7. Lo consigues en el centro.
    8. Dicen el secreto.
    9. Viaja en avión.
    10. Lo recibimos por correo.

III. CAMBIA. USA OJALÁ.
    Ej. No se pierden las tradiciones.
        Ojalá no se pierdan las tradiciones.

1. No se enferman los niños.
2. Se divierten en la playa.
3. No llueve mucho hoy.
4. Me devuelves los libros.
5. Carlos se siente mejor.
6. Están abiertas las tiendas.
7. Luis tiene suficiente dinero.
8. Se conservan las costumbres.
9. Hace muy buen tiempo.
10. Hay boletos para el teatro.

IV. CAMBIA. USA TAL VEZ.
    Ej. Está lloviendo en Veracruz.
        Tal vez esté lloviendo en Veracruz.

1. No refleja bien mis pensamientos.
2. El niño tiene muchas pesadillas.
3. Nieva mucho en su país.
4. Consigo cuatro boletos.
5. No tenemos suficiente dinero.
6. Voy a la conferencia.
7. El muchacho es extranjero.
8. Salimos demasiado tarde.
9. Toca una buena orquesta.
10. Sirven comida internacional.

V. CAMBIA. USA DESEAMOS QUE.
    Ej. No hay problemas.
        Deseamos que no haya problemas.

1. Se divierten en las vacaciones.
2. Estás muy contento.
3. Van pronto a Europa.
4. Te sientes mejor.
5. Carmen es muy feliz.
6. Tienen buena suerte.
7. Se acaban sus problemas.
8. No se enferma otra vez.
9. Terminan pronto el trabajo.
10. Regresan bien tus hijos.

VI. CAMBIA. USA PROBABLEMENTE.

Ej. Vienes a las ocho.

Probablemente vengas a las ocho.

1. No está descompuesto.

2. La comida está sabrosa.

3. Consigue las jaulas.

4. No es muy exigente.

5. Encuentras tu bastón.

6. No hay demasiadas personas.

7. Tienes buenas oportunidades.

8. No vienen los amigos de Sara.

9. Me devuelves mis anteojos.

10. No gruñe el perro.

VII. CAMBIA. USA QUE.

Ej. Se siente bien.

Que se sienta bien.

1. Se divierten.

2. Están mejor.

3. Encuentran el regalo.

4. Te va bien.

5. Descansan mañana.

6. Te sientes mejor.

7. Estás bien.

8. Pasan felices vacaciones.

9. Tienes buen viaje.

10. Se resuelve tu problema.

Al comparar las culturas aprendo mucho.

Me dirijo a todos al hablar así.

Al regresar supe la noticia.

El perro gruñó al ver a ese señor.

AL + INFINITIVO

17.2

El infinitivo precedido de al expresa una acción simultánea a otra en el presente, en el pasado o en el futuro.

Al pasar los veo.
(Siempre que paso...)
Al pasar los vi.
(Cuando pasé...)
Al pasar los veré.
(Cuando pase...)

VIII. CAMBIA. USA AL + INF.

Ej. Cuando regresé, vi a Teresa
Al regresar vi a Teresa.

1. Cuando llego a mi casa, oigo las noticias.
2. Veo a los muchachos cuando paso por allí.
3. Cuando hablo contigo, me doy cuenta de la situación.
4. Cuando salía del banco, vi a ese hombre.
5. Me dio miedo cuando oí ese ruido.
6. Recuerdo a Juan cuando oigo ese disco.
7. La maestra preguntó por todos cuando llegó.
8. Me da sueño cuando tomo una copa.
9. Cuando conocí a Luis, me enamoré de él.
10. Cuando empezaron las clases, supe la noticia.

Al llevarlo...
Al preguntarle...
Al traérselo...
Al bañarse...

ATENCIÓN:
Los pronombres de o.d., o.i. y reflexivos, forman una sola palabra con el infinitivo.

IX. FORMA UNA ORACIÓN.

Ej. Cuando me acostaba, sonó el teléfono.
Al acostarme sonó el teléfono.

1. Cuando me dirigía al banco, vi el accidente.
2. Lo rompí cuando lo lavaba.
3. Cuando se cayó, se rompió el brazo.
4. Se enojó mucho cuando le pregunté.
5. Lo supe cuando lo dijo Jorge.
6. Se cayó cuando se bañaba.
7. Oyeron el ruido cuando se despertaron.
8. Cuando la vi, me enamoré de ella.
9. Se enojó cuando lo supo.
10. Cuando nos despedíamos, empezó a llover.

¿Por qué está fría mi sopa?

Se te enfrió porque la serví hace rato.

Huele* a quemado, ¿verdad?

Sí, al mesero se le quemó la carne.

¿Qué les pasa a los muchachos?

Es que se les olvidó el ramo de flores.

¿Hubo un accidente en el aeropuerto?

No, el avión se les descompuso* antes de salir.

SE

(ACCIONES NO PLANEADAS)

17.3

La partícula se se usa para indicar acciones accidentales, no planeadas, no deliberadas.

Rosa cerró el libro.

(Rosa (sujeto) cerró el libro en forma deliberada).

Generalmente se usa un pronombre de o.i. para señalar quien recibe indirectamente la acción del verbo.

A Rosa se le cerró el libro.

(El libro (sujeto) se cerró accidentalmente. Rosa es el objeto indirecto).

*Verbo irregular

X. SUSTITUYE EL OBJETO INDIRECTO.
    Ej. <u>Se me rompió</u> el vaso.
       (a Luis)
       A Luis <u>se le rompió</u> el vaso.

1. Se nos descompuso la grabadora.
   (a ellos) (a ti) (a usted)
   (a Luisa) (a mí) (a los muchachos)

2. A Elena se le perdieron los aretes.
   (a mí) (a nosotras) (a Bertha)
   (a las niñas) (a ti) (a Rosa)

3. Se les fue el avión porque llegaron tarde.
   (a nosotros) (a Jaime) (a ti)
   (a usted) (a mí) (a Margarita)

4. Se te está enfriando el café.
   (a usted) (a Carlos) (a tu amiga)
   (a ti) (a mí) (a nosotros)

5. Se me pintó la ropa con la silla.
   (a las niñas) (a Elsa) (a nosotros)
   (al mesero) (a ti) (a usted)

XI. SUSTITUYE EL SUJETO.
    Ej. <u>Se me rompió</u> el lápiz.
       (los lápices)
       <u>Se me rompieron</u> los lápices.

1. A los niños se les cayeron los vasos.
   (el plato) (los ceniceros) (el ramo)
   (las botellas) (el bastón) (las tazas)

2. ¿Se te olvidó el reloj?
   (los cuadernos) (la carta) (las llaves)
   (el anillo) (los aretes) (el collar)

3. Se nos rompió la taza.
   (los cántaros) (el bastón) (las botellas)
   (los platos) (los vasos) (el vidrio)

4. Se les descompuso el radio.
   (la grabadora) (los relojes) (la cámara)
   (las máquinas) (el coche) (los radios)

5. Ya se me acabó el dinero.
   (los cigarros) (el tiempo) (las ganas)
   (el vino) (los zapatos) (el café)

XII. CAMBIA COMO EN EL EJEMPLO.

Ej. María quemó unos papeles.

A María se le quemaron unos papeles.

1. Los niños descompusieron el tocadiscos.
2. La señora rompió un florero.
3. Los muchachos cerraron la puerta.
4. Perdí mi bolsa y mi paraguas.
5. Mi tía está enfriando su té.
6. Olvidé las llaves adentro del coche.
7. María Luisa quemó los papeles.
8. Jorge rompió varios discos.
9. Mis hijos descompusieron la grabadora.
10. Perdimos los boletos del cine.

XIII. CAMBIA COMO EN EL EJEMPLO.

Ej. Se me descompuso el coche ayer.

Descompuse el coche ayer.

1. Se nos pierden las llaves con frecuencia.
2. Siempre se me olvidan mis papeles.
3. A Margarita se le está enfriando el consomé.
4. A los muchachos se les quemaron los papeles.
5. A Tere se le descompusieron los aretes nuevos.
6. Al niño se le rompieron los vasos.
7. A sus hijos se les olvidó la dirección.
8. A Rosa se le quemó la carta.
9. Se me perdió un cuaderno de Luisa.
10. Se nos cerró la puerta de la oficina.

CONVERSACIÓN

GÓMEZ RÍOS - ALVARADO IRIARTE.

Vestida con elegancia, Gabriela Gómez Ríos llegó a la iglesia de Nuestra Señora, en donde celebró su matrimonio con el doctor Alfonso Alvarado Iriarte. Recibieron la bendición del padre Javier López Moreno.

Los novios pertenecen a distinguidas familias de nuestra sociedad: la de don Manuel Gómez Padilla y su esposa y la de don Humberto Alvarado Rodríguez y su esposa.

Para esta ocasión la iglesia estuvo elegantemente adornada con gran cantidad de flores y luces. Un coro de niños acompañó a los felices novios durante la ceremonia.

La novia salió debajo de una lluvia de arroz, para dirigirse al salón "Margaritas", en donde sus padres ofrecieron un espléndido banquete para más de cuatrocientas personas.

Se sirvieron magníficos vinos importados y se brindó con champaña por la felicidad de los novios.

Una conocida orquesta acompañó el banquete que sirvieron más de cuarenta meseros.

La fiesta se interrumpió unos minutos cuando los novios partieron, entre aplausos, su maravilloso pastel de seis pisos.

A continuación, la novia lanzó su ramo de flores a sus amigas solteras.

Ya en la madrugada los novios salieron con dirección al aeropuerto para iniciar su "luna de miel". Su coche había sido arreglado previamente con letreros y latas vacías.

¡Muchas felicidades para Gabriela y Alfonso!

- Qué diferente suena, ¿verdad?
- Sí, mucho. Hasta el lenguaje que emplea el que escribe esto me parece diferente.
- Es que es muy diferente. Mira, a mí, esta clase de ceremonias me parece artificial y cursi. Creo que así es el lenguaje también. ¿Notaste las diferencias de que hablábamos?
- Sí, claro. El arroz, el ramo, el tipo de pastel, el menú, la música, las latas en el coche; en fin, muchas cosas que no hubo en la otra boda y no parecen mexicanas.
- Esta es la influencia de la que hablábamos. Es el resultado del cine, entre otras cosas.
- Oye, gastan mucho dinero en esto, ¿verdad?
- Sí, pienso que demasiado. Las familias hacen un gran esfuerzo económico para hacer esto. No creas que tienen tanto dinero. Pero, es necesario hacerlo por prestigio social. En la capital hay muchas clases sociales diferentes; lo que los unifica es un sentido de formalidad y una gran preocupación social.
  Seguramente a ti te parece incongruente gastar tanto dinero así. Pero tiene una explicación: lograr más prestigio social puede ayudar a la gente a ascender en la escala social, a conseguir un empleo mejor. Es lo mismo que tener mejor ropa o coche.
- Pero ustedes son diferentes, ustedes no piensan así. Tu papá, por ejemplo, ¿haría una fiesta como ésa?
- No, claro que no. Ya hemos hablado de que hay diferentes tipos de personas y muy variados grupos sociales. Con el término "clase media" se conoce, por lo menos, a seis grupos sociales diferentes.
- Todo esto es interesante. Creo que en Estados Unidos no hay tantas diferencias entre una misma clase social.
- Pienso que no, pero nuestro proceso histórico ha sido muy diferente también.

XV.   CONTESTA.

1.   ¿Es diferente esta boda de las otras?

2.   ¿Cuál te parece más interesante?

3.   ¿Te parece muy internacional esta boda?

4.   ¿Qué influencias extranjeras tiene?

5.   ¿Cómo son las bodas en tu familia?

6.   ¿Qué significa "clase media" en México?

7.   ¿Es lo mismo en tu país?

8.   ¿Gastarías tú tanto dinero en una fiesta?

9.   ¿Qué entiendes por prestigio social?

10. ¿Adónde te gustaría ir de luna de miel?

—Ahora que veo a los mexicanos desde otro punto de vista, recuerdo lo que platicábamos un día de que no se puede generalizar al hablar de un país o de sus habitantes.

—No, claro que no. Mira, mi prima Verónica vivió seis meses en Minnesota cuando tenía doce años.

Cuando regresó decía unas cosas sobre los Estados Unidos que todos nos reíamos. Decía, por ejemplo, "En los Estados Unidos no hay ni fruta ni flores; en las escuelas no enseñan español; hay miles de lagos; hay muchísima nieve "todo el tiempo"; casi no hay tráfico, etc.". Por supuesto, ella estuvo allí sólo en invierno y en una pequeña ciudad del estado de Minnesota. Como era una niña, no entendía que eso no era Estados Unidos sino un pueblo y en invierno. De todos modos era muy divertido oírla hablar. Unos años después, volvió a Estados Unidos visitó varios estados y, cuando regresó, ella misma se reía de lo que decía antes. Claro que no se puede generalizar.

—No, y tampoco opinar sobre la gente o las costumbres de un país cuando sólo vas de turista. Hay que leer, preocuparse por entender la cultura, observar y tratar de comprender poco a poco. Yo, ahora que veo México y todo Latinoamérica con otros ojos me pregunto, ¿qué pensará de los Estados Unidos un latinoamericano, por ejemplo?
—¡Ah! Yo te puedo decir. Hay un artículo bastante divertido de Jorge Ibargüengoitia.

Ibargüengoitia es un escritor mexicano que trata temas muy serios, incluso de la historia de México, en forma de sátira.

En este artículo da una visión superficial de sus impresiones sobre la ciudad de Washington. Creo que es más o menos lo que tú quieres saber. Claro que no es muy serio, pero sí refleja, de cierta manera, las impresiones de una persona.
Además, es muy divertido. Estoy segura de que te va a gustar.

Quiero que <u>vayas</u> a la otra habitación.

Les suplicamos que <u>escriban</u> con buena letra.

Sugiero que <u>sirvas</u> carne al carbón.

Nos aconsejan que <u>llevemos</u> anteojos oscuros.

Está prohibido que <u>pidan</u> limosna en la calle.

Me gusta que <u>prepares</u> filete asado.

Nos sorprende que <u>firmes</u> un papel en blanco.

Te agradezco* que me <u>arregles</u> el préstamo.

Me preocupa que el niño <u>tenga</u> pesadillas.

Les sorprende que <u>haya</u> contrabando.

*Verbo irregular

232

PRESENTE DE SUBJUNTIVO

(VOLUNTAD - EMOCIÓN)

18.1

El subjuntivo se refiere a una acción que el hablante (la persona que habla) considera como irreal o hipotética.
El hablante presenta la acción sólo como una posibilidad. La realización de esa acción no depende de él.

Te ruego que estudies.

Te sugiero que estudies.

Te aconsejo que estudies.

(La acción de estudiar es sólo un ruego, una sugerencia o un consejo. No se refiere a un hecho real)

En el caso de los verbos de voluntad y emoción, el hablante desea, prohibe, agradece, etc. que una acción se realice en el presente o en el futuro. Pero la realización es hipotética.

Siento que esté enfermo.

Nos gusta que toquen el piano.

Me alegro de que pienses así.

La acción que se introduce con un verbo de emoción, no es exactamente irreal o hipotética.
El subjuntivo se usa para expresar la emoción del hablante ante lo que se dice.

VERBOS DE EMOCIÓN		VERBOS DE VOLUNTAD	
alegrarse	gustar	aconsejar	permitir
celebrar	preocuparse	advertir*	prohibir
encantar	sentir	decir	querer
estar contento	sorprender	exigir	rogar*
estar feliz	temer	ordenar	sugerir
estar emocionado	tener miedo	pedir	suplicar

I. SUSTITUYE.

A. Ej. Me alegro de que vengan todos.
   (vayan a Brasil)   (VERBOS DE EMOCIÓN)
   Me alegro de que vayan a Brasil.

a. Celebro que estés bien.
   (emplees bien tu tiempo) (acompañes a Luisa)
   (ya estés mejor) (hagas ese viaje)

b. Está feliz de que regrese su hijo.
   (vengan todos) (estén ustedes aquí)
   (haya fiesta) (vayas a la boda)

c. Nos preocupa que no te sientas bien.
   (se esté muriendo el perro) (llueva tan poco)
   (esté enfermo el niño) (fumes tanto)

d. Temen que haya un accidente.
   (no regreses a tiempo) (haya un choque)
   (olvides el dinero) (se queme la comida)

e. ¿Tienes miedo de que llegue alguien?
   (se enferme el niño) (haya un problema)
   (no regrese a tiempo) (vuelva a venir)

f. Me gusta que pienses así.
   (estudies tanto) (te arregles así)
   (digas la verdad) (seas puntual)

*Verbo irregular

B. Ej. Te aconsejo que lleves vestido largo.
   (no tomes esa medicina)   (VERBOS DE VOLUNTAD)
   Te aconsejo que no tomes esa medicina.

   a. Exigen que llevemos el material hoy.
      (regresemos a las cuatro)(vayamos a la oficina)
      (comparemos los dos trabajos) (lleguemos a tiempo)

   b. Te prohiben que trabajes aquí.
      (quemes la basura aquí) (firmes esos papeles)
      (compres cigarros de contrabando) (salgas del país)

   c. Nos suplican que hablemos en voz baja.
      (no descompongamos el radio) (no hagamos eso)
      (no traigamos perros) (no estemos gritando)

   d. No permito que juegues en la cocina.
      (brinquen en los sillones) (quemen eso aquí)
      (pongas tu coche aquí) (te lleves mis libros)

   e. Dicen que nos vayamos.
      (lleguemos a las tres) (no aceptemos eso)
      (firmemos estos papeles) (no compremos contrabando)

   f. Quiero que compres un saco de carbón.
      (consigas una habitación) (compares las culturas)
      (observes sus actitudes) (digas algo sobre inversiones)

II. CAMBIA.

   A. USA ME PREOCUPA QUE.

      Ej. Luis sale muy tarde de su oficina.
      Me preocupa que Luis salga tarde de su oficina.

      1. No regresan mis hijos.
      2. No te sientes bien.
      3. Llueve mucho en estos días.
      4. Mi esposo trabaja demasiado.
      5. No participan en clase.
      6. El niño tiene muchas pesadillas.
      7. Mi amiga descansa.
      8. No duermen bien.

B. USA NO PERMITEN QUE.

Ej. Jugamos futbol aquí.
No permiten que juguemos futbol aquí.

1. Visitamos esas comunidades.   5. Entran sin pagar.
2. Regresan demasiado tarde.   6. La secretaria acepta regalos.
3. Traemos perros.   7. Participamos en los preparativos
4. Tocamos las piezas del museo. 8. Invitas a todos tus parientes.

C. USA ESTOY FELIZ DE QUE.

Ej. Margarita y Juan se casan mañana.
Estoy feliz de que se casen mañana.

1. Hay mucho sol.   5. No hay problemas.
2. Vamos a Cuernavaca.   6. Vienen todos a la reunión.
3. Los chicos regresan a Francia. 7. No hace demasiado calor.
4. El bebé se siente mejor.   8. Vas a la playa.

D. USA EL DOCTOR SUGIERE QUE.

Ej. Todos se salen del cuarto.
El doctor sugiere que todos se salgan del cuarto.

1. Traen pronto las medicinas   5. No haces ruido.
2. Llamamos una ambulancia.   6. Apagan las luces.
3. Buscas a la mamá del enfermo.   7. Piden una enfermera.
4. Conseguimos ropa limpia.   8. La familia no está en el cuarto.

III. CAMBIA. USA LÁSTIMA QUE.

Ej. No pueden venir.
Lástima que no puedan venir.

1. No quieres tomar las fotos.   6. Hay mucho contrabando.
2. No podemos ir con ustedes.   7. No sirven champaña.
3. Siempre pierdes tu paraguas.   8. No te gusta el melón.
4. No tiene suficiente dinero.   9. No hay suficiente carbón.
5. No conseguimos el préstamo.   10. No conoces la capital.

IV. CAMBIA. USA QUÉ PENA QUE.

Ej. Los niños no están aquí.
Qué pena que los niños no estén aquí.

1. Margarita se siente mal.
2. No regresas a tiempo.
3. Llueve el día de la boda.
4. El perro se está muriendo.
5. Pierden el tiempo.

6. El coche está descompuesto.
7. No perteneces a este grupo.
8. Se pierden las tradiciones.
9. Desprestigias así a tu país.
10. No coinciden sus opiniones.

Me preocupa que el niño tenga pesadillas.

Me preocupa tener pesadillas.

Me gusta que prepares filete asado.

Me gusta preparar filete asado.

Siento mucho que estés enfermo.

Siento mucho estar enfermo.

SUBJUNTIVO – INFINITIVO

OBSERVA:

Siento que estés enfermo.
(yo)   (tú)

18.2

Siento estar enfermo.
(yo)

Cuando el segundo verbo se refiere a la misma persona que habla, se usa un infinitivo.

237

V. COMPLETA CON LA FORMA VERBAL QUE CORRESPONDA EN EL PRESENTE.

1. El doctor _____ que _____ los papeles.
   (querer)   (llevar)(yo)

2. ¿Les _____ a los niños _____ aquí?
       (gustar)   (jugar)

3. Lástima que _____ tan ocupada.
              (estar)(yo)

4. _____ que tú ____ personalmente.
   (querer)(ellos)   (ir)

5. Probablemente _____ mucho este año.
                 (nevar)

6. Nos _____ que no _____ el papel en blanco.
       (pedir)(ellos)   (firmar)

7. _____ mucho _____ lo que _____ José Luis.
   (sentir)(yo)   (contradecir)   (afirmar)

8. _____ que no _____ el domingo.
   (esperar)(ellos)   (llover)

9. _____ de que _____ todos.
   (alegrarse)(yo)   (venir)

10. Te _____ que nos _____ tus libros.
       (agradecer)(nosotros)   (prestar)

11. Lástima que no _____ ir a la reunión.
                   (poder)(tú)

12. Tal vez _____ mis sobrinas mañana.
            (venir)

13. Ojalá _____ a tiempo para la conferencia.
          (regresar)(ellos)

14. Me preocupa mucho _____ enfermo.
                      (estar)

15. Quizá _____ carne asada al carbón.
          (servir)(ellos)

CONVERSACIÓN

VI. LEE.

CARTA DE WASHINGTON

En cada esquina se encuentra uno a un general. A caballo, de sombrero ancho, mirando hacia la Casa Blanca con expresión de cansancio. Todos están hechos de bronce verde.

Washington es una ciudad magnífica, con casi doscientos años de respetabilidad. Los que la fundaron sabían que iba a ser la capital de un país rico y poderoso. Por eso construyeron edificios sólidos, pesados teniendo siempre como modelo a Roma y a Grecia, y en un caso, por lo menos a Egipto. Abrieron amplias avenidas, plantaron en ellas árboles, construyeron sus residencias imitando todas las arquitecturas del mundo pensando, probablemente, en salir a la calle y pasear tranquilamente, saludando de vez en cuando a sus vecinos.

Desgraciadamente se equivocaron. Muchas de las antiguas casas han sido derribadas para construir edificios; ha habido una invasión de ratas que, dicen los periódicos, han estado tratando de acabar desde hace once años, y en las calles se encuentra uno gente que los que fundaron la ciudad no se imaginaban ni en una pesadilla.

Tampoco se imaginaban las farmacias ni los restaurantes actuales, ni
mucho menos, los periódicos, porque claro, estas tres instituciones
son manifestaciones de algo que nada tiene que ver con los fundadores.
En una farmacia común y corriente encontré cuarenta y siete clases de
desodorantes. Para los pies, para los zapatos, para las habitaciones,
para las cocinas, etc. Todos ellos contenían un ingrediente mágico
que los hacía infalibles.
La mayoría de los habitantes de esta ciudad come en restaurante una,
dos o tres veces diarias. Los desayunos son muy sencillos. Si alguien
quiere desayunar filete, pescado frito, chilaquiles, o aunque sea,
unos hot cakes, está perdido. Nada. Par de huevos, fritos, revueltos
o tibios, con algo que no es carne, pero que lo fue, café y jugo
sintético de naranja. Al mediodía come cada quien lo que le cabe* en
la boca en veinte minutos. Después ya todo es diferente, según los
gustos y la cantidad de dinero que cada uno tiene.
La sociedad norteamericana es adoradora del becerro. No del de oro,
sino del que viene cortado, refrigerado y, si es posible, asado al carbón.

*Verbo irregular

Decir que en Washington la gente es más fea que en otras ciudades sería
una exageración y una mentira. Yo conozco otras ciudades en donde la
gente es en general más fea, pero Washington tiene la característica de
producir de vez en cuando un feo que deja sin aliento. Son pocos por
fortuna, pero se notan más dentro de la uniformidad general. Los
encuentra uno al cruzar la calle, por ejemplo, entre otros mil y dan
ganas de echar a correr.

Lo mismo pasa con los que hablan solos, o con los que piden limosna.
Son mucho menos, pero mucho más notorios que los que hacen lo mismo
en México.

La otra noche me encontré con un mendigo que me pareció muy original.
—Voy a pedirle un favor muy especial.
Lo dijo de tal manera que no pensé que me iba a pedir dinero.

—No le voy a contar que necesito dinero para una taza de café, porque
no es cierto. Voy a ser franco. Soy alcohólico y necesito beber. Para
comprar una copa necesito cuarenta y cinco centavos, si usted puede
dármelos se lo agradeceré mucho.

Comprendí su problema, me sentí identificado con él, y decidí hablarle
claramente.

—Mire— le dije— yo también voy a ser franco. Tengo veinte centavos
y un dólar. No quiero darle el dólar, ¿aceptaría usted los veinte
centavos?

—Yo acepto lo que usted me dé —me dijo.

Cuando le entregué el dinero, él estaba haciendo el favor de aceptar
la limosna. Cuando empecé a alejarme, me dijo:

—Preferiría el dólar... Es que después de todo, yo fui franco... Le
confesé que era alcohólico.

VII. CONTESTA.

1. ¿Cómo se llama el artículo?

2. ¿Qué se encuentra uno en cada esquina?

3. ¿Cómo construyeron los edificios?

4. ¿Todavía existen esos edificios?

5. ¿Qué encontró el autor en una farmacia?

6. ¿En dónde come la mayoría de los habitantes?

7. ¿Cómo son los desayunos?

8. ¿Qué comen a mediodía?

9. ¿Es la gente más fea que en otras ciudades?

10. ¿Con quién se encontró el autor una noche?

11. ¿Qué le dijo el mendigo?

12. ¿Qué pasó después?

LECCIÓN 19

—¿Es, divertido el artículo, David?

—Sí, es chistoso pero es bastante
exagerado. Es tan exagerado como
lo que decía Verónica de los Estados
Unidos. ¿Tú conoces Washington?

—Sí, estuve allí dos semanas cuando
vivía en los Estados Unidos.

—¿Qué te pareció?

—A mí me parece una ciudad muy
interesante. En Washington vi
algunos de los museos más increíbles
que he visto en mi vida.
A Juan y a mí nos impresionó el
Museo de Historia. Es simplemente
fabuloso.

—Yo también conozco la ciudad: me
gustan los monumentos, los
edificios, la Casa Blanca, los
parques, el río...

—¡Claro! A mí también. Pero insisto
en que lo mejor son los museos.
¿Conoces el museo de los aviones?
Es fascinante. Yo regresaría
a Washington sólo por verlo
otra vez.

Obedezco las señales de tráfico.
No creo que ella las obedezca.
Señorita, obedezca las señales.

Deshago el paquete.
Me interesa que lo deshagas.
Niños, deshagan los paquetes.

Pertenezco a ese partido.
Quizá Luis también pertenezca.
Señores, pertenezcan a este partido.

19.1

VERBOS IRREGULARES

(GUTURIZACION)

Reconozco mi error.

Me gusta que lo reconozcas.

No reconozcas nada.

Son irregulares

- Presente de Indicativo
  (primera persona del singular)

- Presente de Subjuntivo

- Imperativo
  (excepto tú afirmativo)

También pertenecen a
este grupo los verbos que
agregan una g en los mismos
tiempos y personas.

Salgo temprano de la oficina.

Quiero que salgas temprano.

Salgan ustedes temprano.

OBSERVA:

SALIR		
PRESENTE INDICATIVO	**PRESENTE SUBJUNTIVO**	**IMPERATIVO**
salgo	salga	sal
sales	salgas	no salgas
sale	salga	salga
salimos	salgamos	salgan
salen	salgan	

CONOCER		
conozco	conozca	conoce
conoces	conozcas	no conozcas
conoce	conozca	conozca
conocemos	conozcamos	conozcan
conocen	conozcan	

> Son irregulares por guturización todos los verbos que terminan en ACER, ECER, UCIR, OCER, excepto mecer.

I. CAMBIA COMO EN EL EJEMPLO.

   Ej. Componemos el coche.
       Compongo el coche.

1. Salimos a ver los monumentos.
2. Detenemos el tráfico.
3. Nos caemos en la escalera.
4. Ponemos el radio en la noche.
5. Oímos las noticias.
6. Deshacemos el paquete.
7. No decimos la verdad.
8. Traemos todos los documentos.
9. Descomponemos la televisión.
10. Venimos en trolebús.

II. CAMBIA COMO EN EL EJEMPLO.

Ej. No conocemos a esas personas.
No conozco a esas personas.

1. No obedecemos los semáforos.
2. No agradecemos el regalo.
3. No parecemos latinoamericanos.
4. No permanecemos en este lugar.
5. No pertenecemos a ese club.
6. No reconocemos a esas personas.
7. No establecemos ninguna regla.
8. No conocemos a los banqueros.
9. No merecemos el castigo.
10. No deducimos nada de su actitud.

III. CAMBIA AL IMPERATIVO.

Ej. La señora sale por esa puerta.
Señora, salga por esa puerta.

1. El ingeniero compone la grabadora.
2. Los muchachos agradecen la invitación.
3. La señora no se cae en la escalera.
4. Los niños permanecen en su lugar.
5. Elsa no deshace los paquetes.
6. Reproducen esos dibujos.
7. Jorge no trae todos sus discos.
8. No reconocen la verdad.
9. La enfermera detiene a la niña.
10. Producen artesanías originales.

IV. CAMBIA. USA QUIZÁ, OJALÁ, TAL VEZ.

Ej. Ellos dicen la verdad. (quizá)
Quizá digan la verdad.

1. No merecen ese castigo. (quizá)
2. Componen la televisión hoy. (ojalá)
3. Reproducen la pintura original. (tal vez)
4. Deshace los paquetes con cuidado. (ojalá)
5. Ellas reconocen la verdad. (ojalá)
6. Oye las clases por radio. (quizá)
7. El mendigo agradece la limosna. (tal vez)
8. Los niños no tienen pesadillas. (ojalá)
9. Producen objetos muy originales. (quizá)
10. La policía detiene al ladrón. (tal vez)

Verónica generalizaba al hablar de Estados Unidos.

Después <u>ella misma</u> se reía de lo que decía.

¿Quién te pinta las uñas?

<u>Yo misma</u> me las pinto.

¿Por qué no les crees a los niños?

Porque <u>ellos mismos</u> se contradicen*.

¿<u>Tú mismo</u> te cortaste la mano?

Sí, estaba tratando de cortar leña.

MISMO, A, OS, AS

(VERBOS REFLEXIVOS)

19.2

Las formas <u>mismo</u>, <u>a</u>, <u>os</u>, <u>as</u>

aclaran o dan énfasis al

verbo reflexivo.

¿<u>Te pintas el pelo</u>?

(¿Tienes el pelo pintado?

¿Te lo pintas en el salón?)

¿<u>Tú misma te pintas el pelo</u>?

(¿Te lo pintas tú personalmente?)

*Verbo irregular

V. CONTESTA.

Ej. ¿Quién lastimó al perro?
    Él mismo se lastimó con esas piedras.

1. ¿Quién se reía de sus ideas?
2. ¿Cómo se rompió el brazo Luis?
3. ¿Quién vistió a la niña?
4. ¿Quién te pinta el pelo?
5. ¿Quién despertó al bebé?
6. ¿Quién bañó a Juanito?
7. ¿Quién arregló a la novia para la boda?
8. ¿Quién contradijo al señor López?
9. ¿Quién peina a los niños?
10. ¿Quién te despierta en las mañanas?

¡Claro que están limpios!

Yo los lavé.

Yo misma los lavé.

(Yo personalmente los lavé)

OBSERVA:
Es frecuente usar mismo, a, os, as
para dar más fuerza o énfasis a la
persona que realiza la acción del
verbo.

VI. FORMA UNA ORACIÓN. USA MISMO, A, OS, AS.

Ej. Piensan que no va a haber champaña.
    Pero yo mismo vi cuando lo compraron.

1. Martha cree que no vino Carlos.

2. Dicen que no hubo música.

3. Piensan que no están limpios.

4. Dicen que no hay filete.

5. Creen que no sabe andar en bicicleta.

6. Jorge dice que no fue.

7. Piensan que no hay vasos rotos.

8. Dicen que el café está frío.

9. Creen que no compramos fruta.

10. Dice que cuesta ochenta pesos.

248

No quiero el portafolios* sino la bolsa.
La bolsa no es bonita pero está de moda.

No le preocupa la belleza sino la higiene.
Le preocupa la higiene pero no la belleza.

No me molestan sus modales sino su actitud.
Su actitud me molesta pero sus modales no.

No tenemos sólo un par de zapatos sino varios.
Tenemos varios pares pero todos están viejos.

No nos gusta la carne refrigerada sino la fresca.
La carne está refrigerada pero está muy buena.

SINO – PERO

19.3

No quiero pescado sino pollo.

> SINO es un nexo que opone dos elementos de una oración. El segundo explica o corrobora el elemento negativo.

Quería pollo pero me sirvieron pescado.

> PERO es un nexo de significado restrictivo.

ATENCIÓN:

Generalmente usamos:

No vino Luis pero vino Jorge.

No vino Luis, sino Jorge.

> pero + oración con verbo expreso.
> sino + oración sin verbo expreso.

> * un portafolios
>   unos portafolios

VII. COMPLETA. USA SINO O PERO.

1. No vimos a Carmen _____ a Teresa.

2. Sí quiero vino _____ no puedo tomarlo.

3. No es sólo guapa _____ también agradable e inteligente.

4. No busco el carbón _____ la leña.

5. Es un hombre viejo _____ fuerte y trabajador.

6. No está a la moda _____ es un vestido bonito.

7. No queremos filete _____ pescado.

8. No es un artículo muy serio _____ es divertido.

9. No es tiempo de descansar _____ de trabajar.

10. No estudiamos aquí _____ en casa de Laura.

VIII. CONTESTA. USA SINO.

    Ej. ¿Es desagradable Jorge?
        No, no es desagradable sino serio.

1. ¿Está muy caliente el consomé?   6. ¿Está enojado el primo de Luisa?
2. ¿Están sucios tus anteojos?   7. ¿Es superficial el artículo?
3. ¿Vinieron tus amigos?   8. ¿Necesitas los libros de sociología?
4. ¿Quiere una limosna ese hombre? 9. ¿Está descompuesto el pescado?
5. ¿Es muy fea la casa de Lupe?   10. ¿Vas a ir al centro?

En cada esquina se encuentra uno a un general.

Los turistas que ve uno los domingos.

En la calle se encuentra uno gente rara.

Salir del pueblo donde uno nació e irse.

UNO

Se usa uno como una forma
impersonal.

Me siento identificado con él.
Se siente uno identificado con él.

Cuando el verbo es reflexivo, se conserva la
partícula se de tercera persona.

IX. CAMBIA. USA UNO.

Ej. En cada esquina me encuentro a un general.
En cada esquina se encuentra uno a un general.

1. En el rancho nos bañamos con agua fría.

2. Al leer ese artículo, me río todo el tiempo.

3. Te ves muy mal vestida así.

4. Nos bañamos muy rápido en las mañanas.

5. Los domingos te desayunas con mucha calma.

6. Me despierto a medianoche por las pesadillas.

7. Nos vemos muy raros en ese espejo.

8. Cuando la situación es muy formal te pones muy serio.

9. Nos alegramos de oír cosas agradables.

10. Me siento mal cuando hay tantos problemas.

CONVERSACIÓN

X. LEE.

Washington está lleno de "fureños": los senadores y los representantes,
los embajadores de países reales o imaginarios, los aviadores australianos,
los banqueros de todo el mundo y los burócratas internacionales. No es
necesario oírlos hablar para saber que son "fureños". Los latinoamericanos,
por ejemplo, nos distinguimos por la papada, la tendencia a andar en
manada y la incapacidad congénita para entender los mapas. Los hindús
por el color, los anteojos, el traje negro y el olor a incienso. Los
españoles se conocen por vestirse a la última moda parisina (de hace
dos años). Los franceses, por creerse fascinantes y las francesas,
por llevar siempre una mano en la frente a causa de la "migraña". Los
ingleses porque nadie entiende lo que dicen.

Muchos de estos "fureños" tienen en común una característica fundamental:
viajan con los gastos pagados. Yo creo que nadie ha venido aquí por
gusto; en todo caso, por equivocación. Los turistas que ve uno los
domingos admirando el monumento a Washington, con anteojos negros,
camisa sport, cámara y niños, son los mismos señores que el lunes se
visten de gris, toman su portafolios y se van a algún ministerio a
firmar un contrato o a pedir un préstamo.

Otros "fuereños", de clase muy diferente, son los que viven aquí. Son
de dos tipos: los diplomáticos, que se pasan la vida celebrando las
fiestas de sus respectivos países, preparando platillos nacionales,
haciendo contrabando de bebidas, negando* visas, y esperando pacientemente
un conflicto internacional; o bien, las setenta mil secretarias extranjeras
que pueden escribir con buena letra y mejor ortografía en todos los
idiomas conocidos, desde el español hasta el yoruba.
Una de las ventajas que tiene la educación es lo que los economistas
llaman, en su lengua particular, "movilidad social", que es la capacidad
de salir del medio original para llegar a otro mejor. La movilidad social
se caracteriza por la necesidad de desplazarse. Es decir, la de salir
del pueblo donde nació uno e irse adonde nadie lo conoce.
De todas las sociedades del mundo, la que mayor movilidad social tiene
es la norteamericana. Por ejemplo, el ochenta por ciento de los habitantes
actuales de Florida, no nació en Florida y lo mismo pasa en California.
Aunque los inmigrantes de este país, han venido de mil partes, a la
segunda o tercera generación se convierten* al norteamericanismo; es
decir, en una raza disciplinada, trabajadora, responsable, muy consciente
de la higiene, de las fórmulas y los modales sociales.

*Verbo irregular

253

XI. CONTESTA.

1. ¿Hay muchos "fuereños" en Washington?

2. ¿En qué se distinguen los latinoamericanos?

3. ¿Y los ingleses?

4. ¿Qué tienen en común esos "fuereños"?

5. ¿De qué clase son los "fuereños" que viven en Washington?

6. ¿Qué es "movilidad social"?

7. ¿Hay mucha en los Estados Unidos? ¿Por qué?

8. ¿Qué dice el artículo sobre los inmigrantes?

9. ¿Cuándo se vuelven norteamericanos?

10. ¿Cómo son los norteamericanos de acuerdo con el autor?

LECCIÓN 20

—¿Leíste el artículo?

—No todo. Lo estoy leyendo poco a poco. No es fácil leer en español.
Pero leí como la mitad.

—¿Qué te parece?

—Muy chistoso, pero además es interesante ver cómo el autor comenta
cosas que a mí también me han llamado la atención, sólo que a la
inversa, claro.

—¿Por ejemplo?

—La comida. A mí me llama mucho la atención el tiempo que ustedes
emplean en comer; a él, al contrario, el poco tiempo que empleamos.
Lo mismo puedo decir de lo que comen. Yo, por ejemplo, no podría
desayunar pescado o chilaquiles.

—No seas mentiroso. Yo te he visto desayunar chilaquiles.

—¡Ah bueno! Pero después de varios meses de estar aquí.
Otra cosa muy diferente, que incluso hemos comentado en mi clase de
conversación, es la actitud de ustedes durante la comida.

—No te entiendo bien.

—Mira, en la clase tratábamos de analizar, muy en general, las
diferencias que hay entre un latino y un sajón, a través de sus
actitudes.

—¿Sacaron alguna conclusión?

—Pues sí, en términos generales dijimos que tienen dos actitudes muy
diferentes: el sajón aprovecha las cosas y el latino las disfruta.

255

Ibargüengoitia dice que comemos en veinte minutos, ¿verdad? Bueno, pues a nosotros nos llama la atención que ustedes estén dos horas y media en la mesa platicando y no haciendo nada.
—¿Cómo que no haciendo nada? Estamos viviendo la vida, disfrutando la comida y a la gente.
—O.K. Pero para mí* es un poco raro que pierdan tanto tiempo.
—Eso no es perder el tiempo, David.
—Claro que sí.
—Bueno, hombre, no vamos a discutir.
 ¿Qué más dijeron?
—Sólo eso, que son dos actitudes diferentes frente a la vida. Después un estudiante contó que un día estaba en la cafetería, parado frente al mostrador, comiendo un sandwich y un jugo, cuando pasó una amiga y le dijo: "¿Por qué no te sientas? En este país sólo las gallinas comen paradas". Me pareció muy chistoso.

Es raro que pierdan tanto tiempo.
Es seguro que se reúnen hoy.

Es conveniente que abras con una palanca.
Es cierto que llevan pistola y garrote.

Es necesario que aprietes el botón.
Es evidente que se portan muy mal.

Es extraño que hagan esa maniobra de día.
Es claro que no depositan las monedas.

Es absurdo que lleven esposas y bombas lacrimógenas.
Es indudable que es un pueblo subdesarrollado.

* para mí = en mi opinión

PRESENTE DE SUBJUNTIVO

20.1

Se usa el SUBJUNTIVO cuando está subordinado a una expresión impersonal que indica:

CONVENIENCIA:

Es conveniente que vengas.

NECESIDAD:

Es necesario que vengas.

EXTRAÑEZA:

Es raro que vengas.

Se usa el INDICATIVO cuando está subordinado a una expresión impersonal que indica:

SEGURIDAD:

Es seguro que viene.

CERTEZA:

Es cierto que viene.

EVIDENCIA:

Es evidente que viene.

Usamos el SUBJUNTIVO cuando el hablante considera hipotética o insegura la realización del verbo.

Con el INDICATIVO el hablante expresa una acción segura, evidente, cierta. No es hipotética, entonces, no se usa el subjuntivo.

I. SUSTITUYE.

Ej. Es probable que venga María.
    (regresar a tiempo)
    Es probable que regrese a tiempo María.

A. Es raro que Luis sea tan mentiroso.
   (abrir con una palanca) (usar pistola)
   (no depositar la moneda) (comer parado)

B. Es seguro que se van a reunir hoy.
   (aprovechar la conferencia) (disfrutar en la playa)
   (comentar el choque) (prohibir fumar aquí)

C. Es conveniente que derriben esos edificios.
   (dejar de fumar) (aconsejar a Teresa)
   (exigir sus derechos) (tratar de conseguirlo)

D. Es cierto que el licenciado está enfermo.
   (negarse a firmar) (contradecirse a veces)
   (ser senador) (no venir hoy)

E. Es necesario que Jorge niegue todo eso.
   (portarse mejor) (apretar el botón)
   (reunirse con el grupo) (exigir la verdad)

F. Es evidente que no quieren venir.
   (imitar a otras personas) (temer un accidente)
   (aprovechar el tiempo) (comentar el problema)

G. Es extraño que no les guste el frío.
   (pedir limosna en la calle) (derribar esos árboles)
   (no agradecer su amabilidad) (venir todos)

H. Es claro que necesitan otra visa.
   (tener algo en común) (ser norteamericanos)
   (contradecir con frecuencia) (gustarles la carne asada)

I. Es absurdo que ella diga eso.
   (sacar esa conclusión) (siempre venir cansada)
   (ser muy mentirosa) (no estudiar nada)

J. Es indudable que tienen miedo.
   (exigir la verdad) (trabajar en un ministerio)
   (tener buena educación) (haber movilidad social)

II. COMPLETA. USA EL PRESENTE DE INDICATIVO O DE SUBJUNTIVO.

1. Es increíble que Luis _____ así.
(portarse)

2. Es evidente que siempre _____ en manada.
(andar) (ellos)

3. Es indudable que _____ de una exageración.
(tratarse)

4. Es necesario que _____ sombrero y anteojos oscuros.
(llevar) (tú)

5. Es extraño que Luis siempre _____ su portafolios.
(perder)

6. ¿Es seguro que _____ estacionarse en este lugar?
(permitir)

7. Me parece absurdo que _____ de esa manera.
(pensar) (tú)

8. Dicen que es raro que _____ tantas mariposas en este tiempo.
(haber)

9. ¿Es cierto que nunca _____ en este país?
(nevar)

10. Es muy evidente que el bebé no _____ bien.
(sentirse)

11. El doctor opina que es extraño que no _____ mejor con esa medicina.
(estar)(tú)

12. Es indudable que a los muchachos les_____ la carne al carbón.
(gustar)

III. COMPLETA. USA <u>PRESENTE DE INDICATIVO</u>,
    <u>DE SUBJUNTIVO O INFINITIVO</u>.

> RECUERDA:
>
> Subjuntivo con verbos de:
>
> deseo
> duda
> voluntad
> emoción
> opinión(negativo)

1. Dicen que esa señora _____ cerca de aquí.
   (vivir)

2. Nos llama la atención que no _____ esta oportunidad.
   (aprovechar)(tú)

3. Mis hijos no quieren _____ nada.
   (comentar)

4. Es absurdo que _____ una palanca para abrir.
   (usar)(ellos)

5. Creo que las monedas _____ sobre el mostrador.
   (estar)

6. No es conveniente que los policías _____ garrotes y bombas lacrimógenas.
   (llevar)

7. Sabemos que el olor a quemado le _____ a Teresa.
   (molestar)

8. Es raro _____ tan temprano de clase, ¿no?
   (salir)

9. Espero que no se te _____ el café.
   (enfriar)

10. Ojalá _____ con nosotros.
    (ir)(ustedes)

11. Necesitamos _____ el material que hay aquí.
    (aprovechar)

12. Espero que _____ sus vacaciones.
    (disfrutar)(ustedes)

13. Es importante que los estudiantes_____ y _____los problemas.
    (reunirse)   (comentar)

14. Me gusta mucho la blusa que _____.
    (traer)(tú)

15. Quizá Elena_____ su cumpleaños con una fiesta.
    (celebrar)

IV. CAMBIA.

Ej. Es necesario traducir el artículo.
    (tú)
    Es necesario que traduzcas el artículo.

1. Es conveniente apretar el botón. (usted)
2. Es raro volver tan tarde. (Elena)
3. Es necesario traer pistola. (el policía)
4. Es absurdo mentir de esa manera. (tú)
5. Es extraño aparecer así. (la luna)
6. Es importante producir más. (la fábrica)
7. Es posible perder las llaves. (la señora)
8. Es probable conseguir el dinero. (nosotros)
9. Es raro conocer a tanta gente. (ellos)
10. Es absurdo corregir al maestro. (ustedes)

V. CAMBIA AL PRESENTE.

Ej. El niño despertó a las nueve.
    El niño despierta a las nueve.

1. No reconocí a tus amigas.
2. ¿Tú sugeriste eso?
3. Prefirieron abrir con la palanca.
4. No volvieron aquí los bomberos.
5. Yo no corregí esas tareas.
6. El teléfono sonó mucho rato.
7. Traduje veinte páginas del cuento.
8. Apretaron varias veces el botón.
9. Yo sólo repetí la verdad.
10. No entendiste ni una palabra.

VI. CAMBIA AL NEGATIVO.

Ej. Creo que viene hoy.
    No creo que venga hoy.

1. Piensan que hay habitaciones.
2. Creemos que traduce bien.
3. Me asegura que lo conoce.
4. Creo que Luis tiene miedo.
5. ¿Piensas que viene?
6. Creen que entiendo inglés.
7. Te aseguro que aparece.
8. ¿Crees que te reconocen?

CONVERSACIÓN

Las palabras fundamentales del idioma inglés son las que usa la ciudad para hablarles a sus habitantes: camine, no camine, entre, salga, empuje, apriete el botón, jale la palanca, deposite una moneda, ponga la basura aquí, no fume, "keep off" —que en buen español quiere decir "lárguese". Quien no conoce el equivalente de estas palabras en inglés, no debe venir a Washington. Está en peligro de hacer ridículos tan grandes como ser atropellado por un coche, o tan pequeños como quedarse atorado en una puerta eléctrica.

Como indican las palabras fundamentales que apunté arriba, la ciudad es autoritaria y no admite titubeos. Para ir de mi trabajo al hotel tengo que cruzar un bosque de semáforos. Hacerlo tiene la desventaja de que cruzar la calle no es una aventura como en México; es sólo una rutina. Los primeros días, debo confesar que, a pesar de tener enfrente el letrero "camine" cruzaba la calle mirando para todos lados por temor de encontrar un mexicano entre los conductores de vehículos. Pero ahora, como todos los demás habitantes de esta ciudad, tengo fe en los semáforos, en el orden y en la disciplina de los conductores de vehículos.

El orden, que es una de las razones
por la que los Estados Unidos ha
llegado a ser el país más próspero
del mundo, es también la causa de
que los norteamericanos hagan tanto
turismo. El orden es conveniente pero
aburridísimo. Afecta los nervios. A
esto se debe que a las nueve de la
noche la mayor parte de la población
está en su casa, descansando y
preparándose para trabajar al día
siguiente.

Pero el orden no se conserva sólo
porque hay semáforos y letreros;
se necesita un cuerpo armado,
equipado y numerosísimo de gente
dispuesta a hacerlo respetar. Una
noche, se descompusieron los setenta
y dos semáforos que hay en Dupont
Circle, que está cerca del hotel.
Vinieron veinticinco policías a
dirigir el tránsito. Además de que
eran veinticinco, cada uno de ellos
llevaba silbato, pistola, garrote,
esposas, bomba lacrimógena, ¡y
teléfono!

263

VIII. CONTESTA.

1. ¿Cuáles son las palabras fundamentales del inglés?

2. ¿Qué peligro hay si uno no las conoce?

3. ¿Cómo es la ciudad?

4. ¿Qué hace el autor para ir de su trabajo a su hotel?

5. ¿Es conveniente esto?

6. ¿Qué hacía los primeros días?

7. ¿Qué opina el autor sobre el orden?

8. ¿Estás de acuerdo? ¿Por qué?

9. ¿Qué se necesita para conservar el orden?

10. ¿Qué pasó una noche en Dupont Circle?

11. ¿Cuántos policías fueron?

12. ¿Qué llevaban?

13. ¿Crees que es una exageración del autor?

14. ¿Has visto alguna situación parecida?

LECCIÓN 21

—¿Sigues molesto con el artículo?
—Pues sí, un poco. Quizá influya en mi actitud que el autor está
  hablando de una de las ciudades más bonitas de mi país.
—Pero, David, si todo es una broma.
—Sí, ya sé. Pero, ¿qué pensará de Washington alguien que no la
  conozca y lea esto?
—Si es mexicano, sabrá que es una sátira. El autor usa el mismo tono
  para tratar temas muy serios sobre México y Latinoamérica.
—Ya verás. Yo voy a escribir también un artículo sobre Washington.
—¡Ah! ¿sí? ¿Qué vas a decir?
—Bueno, puedo hablar sobre la Plaza L'Enfant,
  por ejemplo. ¿No la conoces?
—No, creo que no. Ha de ser nueva, ¿Qué es?
—En realidad es un conjunto de edificios administrativos, pero tiene
  la ventaja de que no dan esa impresión.
  Mira, son una serie de edificios muy modernos situados a los lados
  de un paseo.
  El paseo es muy bello. Tiene faroles, plantas, fuentes. Abajo de
  los edificios hay muchas tiendas, florerías, restaurantes. Es un
  sitio muy bonito y, obviamente, muy importante para la ciudad.

Los ladrones huyeron de la cárcel.
El temblor destruyó parte de la ciudad.

Quizá eso influya en su decisión.
Quieren que construyan una alberca.

Esa situación constituye un grave problema.
El niño destruye los juguetes rápidamente.

Licenciado, destruya usted esos papeles.
María, incluye a Jorge en la lista.

VERBOS IRREGULARES

(Y EUFÓNICA) 21.1

Los banqueros contribuyeron.

El artículo incluye varios aspectos.

Señora, distribuya las bebidas.

Están influyendo en mi opinión.

Son irregulares en:
• Presente de Indicativo. (excepto nosotros)
• Presente de Subjuntivo.
• Terceras personas de pretérito.
• Imperativo.
• Gerundio.

Son irregulares por y eufónica todos los verbos que terminan en UIR.

DISTRIBUIR			
PRESENTE INDICATIVO	PRESENTE SUBJUNTIVO	PRETERITO	IMPERATIVO
distribuyo	distribuya	distribuí	distribuye
distribuyes	distribuyas	distribuiste	no distribuyas
distribuye	distribuya	distribuyó	distribuya
distribuimos	distribuyamos	distribuimos	distribuyan
distribuyen	distribuyan	distribuyeron	

GERUNDIO   distribuyendo

I. CAMBIA AL PRESENTE.

Ej. Contribuí con algo de dinero.
    Contribuyo con algo de dinero.

1. ¿Destruiste todos los documentos?
2. Influí algo en su opinión.
3. Excluímos a Mario de la reunión.
4. Huí corriendo de ese lugar.
5. ¿Instruiste bien a los muchachos?
6. No distribuiste bien los libros.
7. Construí unos juguetes de madera.
8. ¿Contribuiste con ropa o con dinero?
9. Destruimos todas las cartas.
10. No incluí a Roberto en la lista.

II. CAMBIA COMO EN EL EJEMPLO.

Ej. Es necesario distribuir los documentos.
    Es necesario que distribuyamos los documentos.

1. Es raro reconocer a esas personas.
2. Es conveniente construir una alberca.
3. Es mejor traer unas cajas de cartón.
4. Es importante producir buena impresión.
5. Es necesario huir de aquí.
6. Es absurdo venir a esta hora.
7. Es conveniente traducir esto hoy mismo.
8. Es raro concluir a esta hora.
9. Es imposible oír con ese ruido.
10. Es necesario contribuir con algo.

III. CAMBIA AL PRETÉRITO.

Ej. Distribuí los papeles en la clase.
Estuve distribuyendo los papeles en la clase.

1. Contribuimos durante varios años.
2. Construí una casita de cartón.
3. Huímos durante dos horas.
4. ¿Tú destruiste esos juguetes?
5. No distribuimos los dulces entre los niños.

IV. COMPLETA.

1. No creo que ese radio _____ .
   (servir)

2. Nunca _____ a esos muchachos en la lista.
   (incluir) (yo)

3. Es importante que _____ el artículo hoy.
   (traducir) (tú)

4. Dile al niño que no _____ otra vez.
   (mentir)

5. Anoche _____ los ladrones de la cárcel.
   (huir)

6. Es necesario que _____ los semáforos.
   (obedecer) (ustedes)

7. Quiero que el doctor _____ a los niños.
   (reconocer)

8. ¿Por qué siempre me _____ de la reunión?
   (excluir) (ustedes)

9. Pídele a la maestra que _____ las tareas hoy.
   (corregir)

10. Puedes soltar al niño. No creo que _____ .
    (caerse)

11. El temblor _____ casi toda la ciudad.
    (destruir)

12. Cuando _____ , dile que lo necesito.
    (volver) (él)

13. Tal vez mañana _____ un pastel.
    (traer) (yo)

14. La reunión _____ cerca de las dos de la mañana.
    (concluir)

15. Espera que _____ las llaves.
    (encontrar) (yo)

¿Quién empujará la puerta?

Deben de ser los niños que quieren entrar.

Se oyen sirenas. ¿En dónde será el incendio?

Quién sabe, pero ha de ser muy grande porque

hay varios camiones.

¿Por qué habrá tanta basura en la calle?

Creo que los trabajadores están en huelga.

¿Dónde estará Jorge?

Fue a la peluquería.

¿Qué pasará? Se oye mucho ruido.

Es que no hay luz en la planta baja y

están varios hombres trabajando.

¿Por qué gritarán? Asómate a la ventana.

Es que acaban de atropellar a un niño.

FUTURO DE PROBABILIDAD

Usamos el futuro de indicativo
para expresar <u>duda</u> o <u>conjetura</u>
en el PRESENTE.

¿Quién tocará?

¿Qué pasará?

21.2

OBSERVA:

El hablante duda, se pregunta
a sí mismo, expresa una
conjetura.

¿Quién empujará la puerta?

El que contesta tiene varias
posibilidades:

A.
Debe de ser Juanito.
(creo, supongo)

B.
Han de ser los perros.
(creo, supongo)

C.
Es Juanito que no
puede abrir.
(tengo la información)

D.
No sé quién es.

En las respuestas A y B   debe (deben)   infinitivo

de +

ha   (han)   infinitivo

la persona que contesta tiene alguna información o idea sobre lo
que pasa. Es también una conjetura o una suposición.

V. CAMBIA. USA HA DE + INFINITIVO.

Ej. Supongo que hay una huelga.
Ha de haber una huelga.

1. Supongo que son sus hijos.
2. Creo que viene hasta las nueve.
3. Supongo que quieren entrar.
4. Creo que es la policía.
5. Pienso que están enfermos.

6. Supongo que hay un incendio.
7. Creo que es alcohólico.
8. Supongo que quemas la basura.
9. Pienso que está en la peluquería.
10. Creo que traen garrote y pistola.

VI. CAMBIA. USA DEBE DE + INFINITIVO.

Ej. Pienso que Carmen está en la biblioteca.
Carmen debe de estar en la biblioteca.

1. Creo que está prohibido fumar aquí.
2. Supongo que es una equivocación.
3. Pienso que los gatos están enfermos.
4. Creo que es bastante tarde.
5. Supongo que ellos tienen miedo.

6. Pienso que es un problema congénito
7. Supongo que hay un contrato.
8. Creo que guisan muy sabroso.
9. Pienso que tienen ganas de salir.
10. Supongo que es un artículo superficial

VII. CONTESTA. USA HA DE O DEBE DE. AGREGA NUEVA INFORMACIÓN.

Ej. ¿Quién tocará?
Ha de ser Juan. Dijo que iba a venir.

1. ¿Quién llamará a esta hora?
2. ¿Quién será esa señora?
3. ¿Por qué habrá tanto ruido?
4. ¿Dónde estarán mis llaves?
5. ¿Por qué gritará el niño?

6. ¿Qué tendrá el perro?
7. ¿Qué pasará? Se oyen sirenas.
8. ¿Quién vendrá a esta hora?
9. ¿Adónde irán los muchachos?
10. ¿Por qué llevará pistola Jorge?

¿Atropellaron a un niño?
Sí, pero el chofer no tuvo la culpa.

¿Estaban comentando la clase?
No, lo que decíamos no tiene que ver con la clase.

¿Van a derribar esos edificios?
Creo que sí. Yo pienso que deberían tener en cuenta
que son antiguos.

¿Piensas ir al lugar del incendio?
Sí, pero no te preocupes. Voy a tener cuidado.

TENER

(ALGUNOS USOS)

21.3

Con el verbo <u>tener</u> se forman en español diversas expresiones.

| tener que ver | No tiene que ver con el problema.
 (No tiene relación con el problema) |

| tener la culpa | No tuve la culpa del accidente.
 (No fui el responsable del accidente) |

| tener en cuenta | No tienen en cuenta otras opiniones.
 (No consideran otras opiniones) |

| tener cuidado | Ten cuidado con el perro.
 (Cuídate del perro) |

| tener la costumbre | Tenían la costumbre de venir.
 (Acostumbraban venir) |

| tener en común | Tenemos en común que nos gusta el cine.
 (Nos parecemos en nuestros gustos) |

| tener entre ceja y ceja | Tiene esa idea entre ceja y ceja.
 (Tiene una idea firme) |

| tener en la punta de la lengua. | No recuerdo ahorita el nombre, pero lo tengo en la punta de la lengua.
 (Estoy a punto de decirlo) |

VIII. CAMBIA.

A. USA TENER QUE VER.

Ej. El problema no tiene relación con la huelga.
El problema no tiene que ver con la huelga.

1. El artículo no tiene relación con la clase.
2. Lo que dijiste no tiene relación con este tema.
3. Esos libros no tienen relación con nuestro estudio.
4. Su trabajo no tiene relación con su profesión.
5. La conversación no tiene relación con su problema.
6. La reunión no tuvo relación con la huelga.

B. USA TENER LA CULPA.

Ej. Ella no fue responsable del accidente.
Ella no tuvo la culpa del accidente.

1. Yo no soy la responsable del choque.
2. Luis no fue el responsable de lo que pasó.
3. No fuimos los responsables del accidente.
4. Los trabajadores fueron los responsables del incendio.
5. Laura no es la responsable, es Elsa.
6. El doctor fue el responsable del problema.

C. USA TENER EN CUENTA.

Ej. No consideraron nuestro trabajo.
No tuvieron en cuenta nuestro trabajo.

1. No consideré el punto de vista de los niños.
2. ¿No consideraron que había fuego en la planta baja?
3. Nunca consideran la opinión de los estudiantes.
4. Debes considerar que hay muchas diferencias.
5. ¿No consideraste el peligro que había?
6. Hay que considerar los gastos necesarios.

D. USA <u>TENER CUIDADO.</u>

Ej. <u>Cuídate</u> de esos muchachos.
<u>Ten cuidado</u> con esos muchachos.

1. Debes cuidarte de los vehículos.
2. Cuídese del perro, es muy bravo.
3. ¿Por qué no te cuidas de esas personas?
4. Jorge, cuídate del aire frío.
5. Debes cuidarte de ese hombre.
6. Cuídense del chofer. Maneja muy mal.

E. USA <u>TENER LA COSTUMBRE.</u>

Ej. <u>Acostumbramos</u> ir a la playa en verano.
<u>Tenemos la costumbre de ir</u> a la playa.

1. Los bomberos acostumbran llevar sirena.
2. No acostumbro comer fuera de mi casa.
3. Antes acostumbrábamos viajar en trolebús.
4. ¿Acostumbras leer en las noches?
5. No acostumbro firmar papeles en blanco.
6. Acostumbra contradecir todo lo que se dice.

F. USA <u>TENER EN COMÚN.</u>

Ej. Tu casa y la mía <u>se parecen</u> algo.
<u>Tienen</u> algo <u>en común.</u>

1. Todos tus hijos se parecen un poco.
2. Los dos artículos coinciden en ciertas cosas.
3. ¿Se parecen algo los pueblos de este país?
4. Margarita y Rosa se parecen un poco.
5. ¿Son parecidos tus hermanos?
6. Esos muchachos no se parecen nada.

CONVERSACIÓN

Otro día me despiertan las sirenas de los bomberos. Me asomo a verlos
pasar, cuento doce camiones, con escaleras de todos tamaños. Me imagino
un multifamiliar enorme, con gente lanzándose por las ventanas. A esta
imagen se superpone otra: una fábrica de pinturas con los techos
quemándose y las paredes cayéndose sobre un verdadero infierno. En ese
instante me doy cuenta de que huele a quemado. Además ya no hay sirenas.
Oigo el ruido de los camiones estacionándose. En la glorieta hay un
problema de tránsito. El olor a quemado aumenta. Las dos imágenes
anteriores se borran por una tercera: ¡el hotel —"mi" hotel— se está
quemando! Pánico. Me visto en doce segundos, salgo del cuarto, bajo la
escalera, llego al lobby. Todo está en orden. Salgo a la calle. Varios
curiosos pasan caminando sin prisa. Llego a la esquina. Un café que
está en la planta baja de un edificio de cuatro pisos es el lugar del
siniestro. Los doce camiones de bomberos, con escaleras de todos tamaños,
están estacionados en las calles cercanas. Veinte bomberos con máscaras

contra gases están abriendo una puerta, usando para ello palancas de
todas clases. Un bombero, con máscara, entra en el lugar incendiado
y apaga las llamas con un extinguidor. Desde la ventana del primer
piso de la casa vecina, un hombre se asoma para ver la maniobra. Al
ver que el incendio ha terminado cada quien regresa a sus ocupaciones,
frustrado.

Los bomberos son parte del orden. En el otro extremo está el desorden.
Los jóvenes, que después de quince años de lavarse las orejas y de ir
a la peluquería cada viernes, dejan de hacerlo, usan barba y pelo largo,
se visten con ropa de segunda mano que nunca lavan, andan descalzos,
se reúnen por las tardes en los parques a tocar la guitarra y a platicar.
Las mujeres andan cargando niños como subdesarrolladas. Los policías
los miran de reojo.

Yo no los entiendo, pero los respeto. Estoy de acuerdo en que se porten
así en la ciudad más burocrática del mundo. Lo único que me da desconfianza
es su dieta. Comen yougurt, trigo germinado y, cuando van al cine,
pop-corn.

Texto adaptado del artículo "Carta de Washington". Ibargüengoitia Jorge,
Viajes en la América ignota, Edit. Joaquín Mortiz, México, 1972.

X. CONTESTA.

1. Di algo sobre el incendio.

2. ¿Tú crees que es muy exagerado lo que dice el autor?

3. ¿Has visto un incendio? Coméntalo.

4. ¿Qué dice del desorden?

5. ¿Estás de acuerdo? ¿Por qué?

6. ¿Por qué no le gusta la dieta de esos jóvenes?

7. ¿Has visitado algún país extranjero?

8. ¿Has observado a la policía?

9. ¿Es muy diferente de la policía norteamericana?

10. ¿Te pareció divertido el artículo?

LECCIÓN 22

-¿Qué estás leyendo?

-No estoy leyendo, estoy estudiando. Tengo que presentar mi examen de admisión para entrar a la Universidad.

-¿Es un examen muy duro?

-Creo que sí. Como no hay suficientes lugares, tienes que sacar un buen promedio para entrar.

-¿Es lo mismo en todos los niveles?

-Sí, en general, sí.

-¿Cuántos años de educación obligatoria hay en México?

-Nueve: seis de Primaria y tres de Secundaria.

-¿Todos los niños van a la escuela?

-No, desafortunadamente, no todos. La educación es uno de los más serios problemas que hemos tenido en México desde la época de la Colonia.

Actualmente hay más de seis millones de analfabetos, esto es el 19%* de la población de personas mayores de 14 años.

No hay suficientes lugares: muchos niños y jóvenes no tienen lugar en las escuelas primarias, secundarias y de educación superior.

---

*% por ciento

El problema es también muy grave en las zonas rurales: cerca de un millón de niños campesinos no tienen escuela.

Además hay otros problemas: en el campo, de cada cien niños que entran a la Primaria, la terminan ocho y, de éstos, solo dos continúan la Secundaria.

Esto se debe principalmente a que son familias muy pobres y los muchachos tienen que trabajar en el campo para ayudar a sus padres.

—¿No hace nada el gobierno para resolver estos problemas?

—Por supuesto que sí. Ésta ha sido una de las grandes preocupaciones de todos los gobiernos de México. Pero no es fácil. Es un gran problema que tienen todos los países en donde había población indígena cuando llegaron los españoles. Su educación e integración social ha sido y es un proceso lento y difícil.

—¿Todos los países latinoamericanos tienen el mismo problema?

—No todos. En parte, depende de las condiciones de la cultura de cada país antes del descubrimiento de América.

Creo que vas a pasar el examen de admisión.

No creo que pases el examen de admisión.

Aseguran que hay seis millones de analfabetos.

No aseguran que haya seis millones de analfabetos.

Piensa que el problema es la integración social.

No piensa que el problema sea la integración social.

Dicen que depende de las condiciones culturales.

No dicen que dependa de las condiciones culturales.

PRESENTE DE SUBJUNTIVO

(OPINION)

22.1

Con el negativo de algunos verbos de opinión, se usa el subjuntivo en la oración subordinada.	No creo que venga. No piensan que llueva.

Se usa el subjuntivo porque el hablante considera la acción del verbo como improbable, hipotética.

I.   CAMBIA AL NEGATIVO.

Ej.   Creo que se debe a la lluvia.

No creo que se deba a la lluvia.

1. Pensamos que pasan el examen de admisión.
2. Te aseguro que sacas un buen promedio.
3. Dicen que aprovechan los bosques.
4. Les aseguro que Jorge tiene la culpa.
5. Consideran que es necesaria la integración.
6. Creo que presenta el examen mañana.
7. Considero que la situación es muy grave.
8. Pienso que al gobierno le interesa este problema.
9. Opinan que hay varios millones de analfabetos.
10. Carlos dice que es de segunda mano.

II.   CAMBIA AL AFIRMATIVO.

Ej.   No consideran que haya demasiada gente.

Consideran que hay demasiada gente.

1. No pensamos que tenga muchos problemas.
2. No nos aseguran que traigan bombas lacrimógenas.
3. No creo que sea una gran ventaja.
4. No dicen que tengas que depositar una moneda.
5. No consideran que esto le afecte al campo.
6. No piensan que todos estemos de acuerdo.
7. No te aseguro que los niños confiesen la verdad.
8. No creen que hoy presenten el examen.
9. No considero que pueda llegar a ser importante.
10. No dicen que tenga la costumbre de venir aquí.

III. FORMA UNA ORACIÓN.

Ej.   Se aprovecha bien el campo. Luis no lo cree.

      Luis no cree que se aproveche bien el campo.

1. Hay seis millones de analfabetos. El doctor no lo considera.

2. Comentan cosas desagradables. Yo no lo creo.

3. Es sólo una rutina. Rosa no lo piensa.

4. Está listo en la tarde. La secretaria no lo asegura.

5. Hay que jalar esa palanca. El letrero no lo dice.

6. Tenemos que admitirlo. Luis no lo considera.

7. Los pueden atropellar. No lo crees.

8. Hay mucho desorden. El maestro no lo asegura.

9. Se reúnen en la oficina. No te lo aseguro.

10. Organizan una huelga. El jefe no lo piensa.

IV. CONTESTA EN FORMA NEGATIVA.

Ej.   ¿Piensas que tiene la culpa Jorge?

      No, no pienso que Jorge la tenga.

1. ¿Dicen que el gobierno se preocupa?

2. ¿Aseguras que hay muchos analfabetos?

3. ¿Creen que es un problema grave?

4. ¿Consideras que le gusta vivir en una zona rural?

5. ¿Piensan que tiene que ver con aspectos culturales?

6. ¿Cree usted que debo sacar mi dinero?

7. ¿Me aseguras que pasas el examen de admisión?

8. ¿Piensas que es un trabajo muy duro?

9. ¿Dicen que está quemado el edificio?

10. ¿Aseguran que vienen los bomberos?

Había gente curiosa por todas partes.

Quiero un cochinito para guardar mi dinero.

Mi caballo ganó por una cabeza.

Llena la tina para bañar al niño.

No se debe respirar por la boca.

Hemos decidido salir para Cuernavaca.

No he viajado mucho por Latinoamérica.

Carlos está muy alto para su edad.

Mandaron el paquete por barco.

POR – PARA
(ALGUNOS USOS)

22.2

POR expresa:
Causa, razón.

→ Lo llamá por necesidad.

No lo hará por nada del mundo.

Se murió por 1960.

Viven por el centro.

Pasaron por el parque.

← | Proximidad de tiempo o de lugar. |
| --- |

Finalidad, objetivo.

→ Vamos por el pan

Lo hicieron por ti.

Escríbelo palabra

por palabra.

← | Precisión. | | |
| --- | --- | --- |
| | Excepto: | paso a paso |
| | | poco a poco |
| | | día a día |

Perspectiva futura, necesidad.

→ Hay muchos platos

por lavar.

Hablo por todos mis
compañeros.   Sustitución

Modo   Por las buenas.
                                         Por fin
                                         Por lo general

Lo conseguí todo por
veinte pesos.   Precio,
                                         cambio,
Te cambio mi pluma por la   equivalencia.
tuya.

Medio   Lo mandé por correo.
                                         Subimos por la escalera.

PARA expresa:

Destino o dirección
del movimiento.   Se va para su casa.

Lo compré para mi hijo.   Propósito (de una
Venden ropa para niños.   acción o una cosa)

Límite de tiempo   Terminamos para las siete.

Es buena para la   Aptitud.
gimnasia.

Comparación   Está muy alto para
                                         su edad.

Son vasos para leche.   Uso.

V. CAMBIA. USA POR.

A. (CAMBIO, EQUIVALENCIA)

Te doy diez pesos a cambio de esos lápices.
Te doy diez pesos por esos lápices.

1. Me ofrecen unos libros a cambio de estos discos.
2. Nos darían un regalo a cambio de nuestro silencio.
3. Te acepto el cochinito a cambio de mi pluma.
4. Me consiguen esos papeles a cambio de mi ayuda.
5. Te daría las flores a cambio de un beso.
6. Me ofrece su bolsa a cambio de la mía.
7. Le limpia el coche a cambio de unos pesos.
8. Te hago la tarea a cambio de ese disco.
9. Daría cinco pesos a cambio de tus pensamientos.
10. Les doy estas revistas a cambio de su amabilidad.

B. (CAUSA)

El bebé está llorando. Tiene hambre.
El bebé está llorando por hambre.

1. Firmaré los papeles. Es una necesidad.
2. No asistieron a la conferencia. Fue una equivocación.
3. El ministerio estaba cerrado. Había nieve.
4. No fuimos a la fiesta. Teníamos trabajo.
5. Vinieron los bomberos. Hubo un incendio.
6. Jorge se enfermó. Tomó cervezas.
7. Va a correr. Es cobarde.
8. Me gusta ese perro. Está limpio.
9. Dormí muy mal. Tuve pesadillas.
10. Nos interesa ese libro. Es antiguo.

C. (PROXIMIDAD DE TIEMPO O LUGAR)

Ese pintor murió alrededor de 1900.
Ese pintor murió por 1900.

1. No sé donde viven, pero es cerca de aquí.
2. Jorge llegó a México alrededor de 1972.
3. Pusimos los paquetes cerca de la cocina.
4. ¿Vas cerca del Museo de Antropología?
5. Su niño nació alrededor de agosto.
6. La peluquería queda cerca del centro.
7. Iremos a la luna alrededor del año 2000.
8. El incendio es cerca de aquí.
9. ¿Vas a pasar cerca de un banco?
10. Terminaré de estudiar alrededor de 1982.

D. (FINALIDAD, OBJETIVO)

Quieren ir. Necesitan los papeles.
Quieren ir por los papeles.

1. Vamos a salir. Hay que comprar pan.
2. Tenemos que ir. Queremos cigarros.
3. Tienen que venir. Aquí están sus boletos.
4. Voy a salir. Tengo que recoger unos papeles.
5. ¿Pueden ir? Hay que comprar cocas.
6. Necesitan salir. Van a traer el periódico.
7. Necesitamos regresar. Se nos olvidó el paraguas.
8. Van a venir. Tienen que recoger sus discos.
9. Pueden ir. Hay que traer unos libros.
10. Necesito ir. Voy a recoger unos zapatos.

E. (PRECISIÓN)

Ej.   Cuenta bien los billetes.
       Cuenta billete por billete.

1. Lee con cuidado las palabras.
2. Comenta todos los artículos.
3. Deposita las monedas despacio.
4. Apunten todos los verbos.
5. Laven bien estas cosas.
6. Escribe los números con cuidado.
7. Limpia todos los cuartos.
8. Guarda los libros con cuidado.
9. Estudien todas las lecciones.
10. Analiza todos los aspectos.

F. (NECESIDAD)

Ej.   No hemos lavado toda la ropa.
       Todavía hay ropa por lavar.

1. No hemos estudiado todos los verbos.
2. No ha llenado todas las botellas.
3. No han comentado todos los aspectos.
4. No han guardado todos los papeles.
5. No hemos limpiado todos los libros.
6. No has sacado todos los paquetes.
7. No he presentado todos los exámenes.
8. No ha planchado todas las blusas.
9. No hemos plantado todas las flores.
10. No han visto todas las fotografías.

G. (SUSTITUCIÓN)

Ej. Luis habla <u>en nombre</u> de todo el grupo.
Luis habla <u>por</u> el grupo.

1. Lo digo en nombre de todos mis amigos.
2. El regalo es en nombre de toda la familia.
3. Te lo ofrezco en nombre de toda la clase.
4. Les preguntamos en nombre de todos los empleados.
5. ¿Lo dices en nombre de todos?
6. Confesó en nombre de todo el grupo.
7. Preguntamos en nombre de todos los alumnos.
8. Me lo dieron en nombre de toda la familia.
9. Lo dicen en nombre de todo el grupo.
10. Lo aseguró en nombre del gobierno.

H. (MEDIO)

Ej. Mandamos el dinero. Usamos el telégrafo.
Mandamos el dinero <u>por</u> telégrafo.

1. Subimos al tercer piso. Usamos el elevador.
2. Trajeron el papel de Brasil. Usaron un barco.
3. Los paquetes llegaron ayer. Los trajo el correo.
4. Hablé con Teresa. Usé el teléfono.
5. Bajaste cuatro pisos. Usaste la escalera.
6. Dieron las noticias. Las oí en el radio.
7. Mandaron los paquetes. Usaron un avión.
8. Trajeron unas revistas. Usaron el correo.
9. Hablamos con nuestra hija. Usamos el radio.
10. Mandé los cheques. Usé el correo.

VI. CAMBIA. USA <u>PARA</u>.

A. (PROPÓSITO)

Ej. Compré un cochinito. Se lo di a Elenita.
Compré un cochinito <u>para</u> Elenita.

1. Conseguimos el libro. Se lo dimos al maestro.
2. Trajimos las bicicletas. Se las prestamos a tus hijos.
3. Guardé un pedazo de pastel. Se lo voy a dar a Rosa.
4. Tengo unos boletos. Se los voy a regalar a Carlos.
5. Necesito unas monedas. Quiero una coca.
6. Sólo tienen ocho pesos. Van a comprar cigarros.
7. Traje unos silbatos. Se los di a los niños.
8. Necesito un millón de pesos. Quiero hacer un viaje.
9. Gané un cochinito. Se lo voy ha dar a mi hijo.
10. Guardaron unos dulces. Se los darán a Rosita.

B. (COMPARACIÓN)

> Ej.   Sabe mucho y estudia muy poco.
>   Sabe mucho <u>para</u> lo poco que estudia.

1. Está muy alto y sólo tiene tres años.
2. Ganan muy poco y trabajan mucho.
3. Pepe habla mucho y tiene dos años.
4. Te portas muy mal y ya tienes doce años.
5. Gasta demasiado y gana poco.
6. Aprenden mucho y estudian poco.
7. Come mucho y está muy delgado.
8. El reloj se descompone muy poco y es muy viejo.
9. Saben muy poco y estudian mucho.
10. Trabajan demasiado y están enfermos.

E. (USO)

> Ej.   Dame el líquido. Voy a limpiar los vidrios.
>   Dame el líquido <u>para</u> los vidrios.

1. Traeme un poco de agua. Le voy a dar al perro.
2. Busca la jarra. Aquí está la leche.
3. Compren jabón. Hay que lavar la ropa.
4. ¿Dónde está la medicina? Me duele la garganta.
5. Consigue una goma. Tenemos que borrar esto.
6. Quiero unos zapatos viejos. Voy a caminar mucho.
7. Dame un foco. No tiene foco mi lámpara.
8. Necesitas un shampoo especial. Tienes el pelo seco.
9. Busca un líquido. Necesito limpiar el sillón.
10. Préstanos dinero. Queremos ir al cine.

D. (DESTINO)

> Ej.   Van <u>a</u> la biblioteca.
>   Van <u>para</u> la biblioteca.

1. Regresan a la iglesia.
2. Vamos a la cafetería.
3. Voy a ir a casa de Luisa.
4. Caminen a la esquina.
5. Piensan ir al centro.
6. Regresamos a la agencia.
7. Vamos a la planta baja.
8. Camino al banco.
9. Van al mercado.
10. Den vuelta a la derecha.

> ATENCIÓN:
>
> a   >   dirección del
> para   movimiento.
>
> <u>Para</u> es más indeterminada, más vaga.
>
> Con verbos que significan <u>el final</u> del movimiento se usa siempre <u>a</u>:
>
> Llegué a mi casa
> muy tarde.

E. (APTITUD)

Ej. Rosa habla bien varias lenguas.
Es buena para las lenguas.

1. Los conductores de las ambulancias manejan muy bien.
2. Verónica hace gimnasia muy bien.
3. Ese perro puede cuidar la casa.
4. Sus hijos saben piano y guitarra.
5. Teresa cocina muy sabroso.
6. Los niños practican muchos deportes.
7. Carlos dibuja muy bien.
8. Los muchachos juegan futbol perfectamente.
9. Sabemos coser muy bien.
10. Esa secretaria trabaja perfectamente.

F. (LÍMITE DE TIEMPO)

Ej. La casa estará lista en abril.
Para abril, ya estará la casa.

1. Estaremos listos a las cinco.
2. Van a estar mejor mañana.
3. El trabajo estará terminado el sábado.
4. Estaremos en la luna el año 2000.
5. La carne estará cocida a las tres.
6. Los libros estarán terminados en mayo.
7. Estaremos en la casa mañana.
8. Los niños estarán vestidos a las ocho.
9. La comida estará lista a las dos.
10. Estarán en Europa el mes que entra.

El paquete se fue por avión.
Las niñas fueron a caballo.

Decidí mandarlo por correo.
Hicimos el viaje en barco.

Las noticias llegaron por telégrafo.
Fuimos a la feria en bicicleta.

Tenemos que subir por la escalera.
¿Van a ir en tren o en coche?

POR-EN-A

(MEDIO)

RECUERDA:

> La preposición por expresa medio:
>
> Subí por el elevador.   Lo mandé por correo.
> Hablaron por teléfono.   Lo dijeron por radio.

Con algunos verbos de movimiento (IR, VENIR, VIAJAR, LLEGAR, REGRESAR, VOLVER, etc.) se usa la preposición en, cuando se trata de una persona.

Llegó en taxi.

Fueron en burro.

Regresamos en metro.

Excepto: a pie
           a caballo

RECUERDA:

> Las personas van, vienen, regresan, viajan, etc.
>
> en
> - coche
> - tren
> - trolebús
> - metro
> - barco
> - bici
> - burro
> - avión
> - camión
> - moto
> - taxi
>
> a
> - pie
> - caballo

289

VII. COMPLETA. USA <u>POR</u>, <u>EN</u>, <u>A</u>.

1. ¿Piensan ustedes subir la montaña___ caballo o ___ burro?

2. Yo me voy a regresar___ avión pero todos los libros los voy a mandar ___ barco.

3. Los chicos quieren ir ___ moto, pero a mí me da miedo. Prefiero que vayan ___ caballo.

4. Voy a mandar el dinero___ telégrafo. Creo que es más seguro.

5. ¿Prefieres subir___ pie o___ el elevador?

6. Vamos a hacer el viaje___ tren porque queremos ver el campo.

7. Regresaron___ taxi porque su coche se descompuso.

8. Voy a mandar mis cosas___ avión porque es más rápido.

9. Ayer regresó Tere___ el avión de las 9:30.

10. Va a ser difícil encontrar un taxi a esta hora. Vámonos ____ camión.

Me dio cien pesos <u>por</u> el libro.
Me dio cien pesos <u>para</u> el libro.

Van a terminar la casa <u>por</u> abril
Van a terminar la casa <u>para</u> abril.

Trabaja mucho <u>por</u> su hijo.
Trabaja mucho <u>para</u> su hijo.

Regresamos <u>por</u> el parque.
Regresamos <u>para</u> el parque.

Estoy <u>por</u> terminar el vestido.
Estoy <u>para</u> terminar el vestido.

POR-PARA

Las preposiciones POR y PARA suelen ser confusas
en ciertas ocasiones.

22.4

OBSERVA:

Me dio cien pesos
- por el libro. (PRECIO, CAMBIO)
- para el libro. (PROPÓSITO)

Terminan la casa
- por abril. (PROXIMIDAD DE TIEMPO)
- para abril. (LÍMITE DE TIEMPO)

Trabaja mucho
- por su hijo. (CAUSA)
- para su hijo. (BENEFICIO, PROPÓSITO)

Regresamos
- por el parque. (PROXIMIDAD DE LUGAR)
- para el parque. (DIRECCIÓN DE MOVIMIENTO)

ATENCIÓN:

Estar
- por
- para

+ infinitivo

Estar por + inf. expresa
inminencia de la acción.

Estoy por terminar el vestido.
(Estoy cerca de terminar el
vestido; estoy acabando de
coser el vestido.)

Estar para + inf. expresa
propósito.

Estoy para terminar el vestido.
(La razón o el propósito de que
yo esté aquí es coser, a fin
de terminar el vestido.)

VIII. LEE LAS SIGUIENTFS ORACIONES Y EXPLICA EL USO DE <u>POR</u> Y <u>PARA</u>.

1. Quieren ir por el museo.
   Quieren ir para el museo.

2. Estoy limpiando la casa por la fiesta.
   Estoy limpiando la casa para la fiesta.

3. Piensan regresar para Navidad.
   Piensan regresar por Navidad.

4. El hombre está por confesar la verdad.
   El hombre está para confesar la verdad.

5. Te ofrezco cien pesos por los discos.
   Te ofrezco cien pesos para los discos.

IX. COMPLETA CON <u>POR</u> Y <u>PARA</u>. EXPLICA EL SIGNIFICADO DE CADA ORACIÓN. A VECES HAY DOS POSIBILIDADES.

1. Pienso regresar a mi país_____ enero.

2. ¿_____ qué lo quieres? _____ lavarlo.

3. Estoy _____ comprarle un regalo a Carmen.

4. Vamos a conseguir un libro _____ Jorge.

5. Empujó las cajas _____ equivocación.

6. Hay que depositar dos monedas _____ sacar los cigarros.

7. Tuvo muchos problemas _____ llegar tan tarde a la reunión.

8. Los paquetes llegaron ayer _____ correo.

9. Escribo en máquina _____ mi clase de francés.

10. Vivimos _____ la Universidad.

11. Pregunté _____ ti.

12. Necesito conseguir dinero _____ pagar la renta.

CONVERSACIÓN

LA RUEDA DE LA FORTUNA

¡Peso al plato! ¡Peso al plato!
Aquí estamos todos, un poco curioseando, un poco respirando la
atmósfera de fiesta, de feria, de pueblo, tan nuestro y tan ajeno,
cada vez más, a nosotros.
Alegría en el ambiente, en los ojos, en la piel.
Luisa, incansable, lanza pesos y más pesos entre las risas de los
espectadores. El juego no puede ser más sencillo: hay que lanzar
una moneda, desde una cierta distancia, a un plato que flota en
una tina llena de agua. Si el peso se queda en el plato, uno
gana un cochinito de barro. Pero el peso nunca se queda, rebota
en el plato y cae en el fondo de la tina.
El vendedor, ingenioso y hábil, demuestra de vez en cuando lo
fácil que es hacerlo: lanza una moneda que inevitablemente cae en
el plato. Claro, nuevos clientes se deciden a probar suerte.
¡Qué domingo estupendo! Uno de esos días en que todo sale bien.
Llegamos al pueblo de casualidad, buscando a un vendedor de
alfombras. Nos recibió un pueblo vestido de colores, con música,
danzas y feria. Decidimos quedarnos y disfrutar la oportunidad
que se nos ofrecía.

Aquí estamos pues tirando al blanco, lanzando pesos al plato,
pidiéndole a un pajarito que nos lea la suerte, enmedio de una
multitud de camisas bordadas, de sombreros y de faldas de colores.
Después de comer caminamos por las callecitas, silenciosas y
tranquilas ahora que sus habitantes están en la fiesta. Admiramos
dos bellísimas iglesias y los alrededores del pueblo.
Volvimos a la feria, a llenarnos los ojos una vez más con el
ambiente del lugar.
Otra vez el peso al plato, el comprar pequeñas e inservibles
cosas, los caballitos, la rueda de la fortuna, como niños
mayores que por un momento quieren ser pequeños.
Nos bajamos de la rueda de la fortuna porque el tiempo, nuestro
enemigo, nos decía que ya era hora de volver.
Fue entonces cuando vi frente a nosotros a un grupo de niñas
--inditas mazahuas-- que nos miraban y se reían escondiendo
sus ojitos y doblando la cabeza.
Hablando en su lengua, se reían y nos observaban. De pronto,
una de ellas, con los ojos muy negros y muy abiertos, avanzó
tres pasos, me miró con mucha seriedad y me dijo en su mal
español:

- Señora, ¿no me invitas la rueda de la fortuna?
- Claro -dije, y agregué- ¿te gusta mucho?
- No sé. Nunca me he subido.

Abría la bolsa cuando todas las demás se acercaron tímidamente, con pasitos cortos, riéndose y diciendo palabras incomprensibles. Sólo había una cabeza levantada y unos ojos mirándome fijamente: los de mi indita mazahua.

Les entregué el dinero. Se alejaron corriendo felices hacia la rueda de la fortuna. Nos quedamos ella y yo, frente a frente. Extendió su manita morena, tomó el dinero, sonrió y dijo: gracias, señora.

No pasó nada más.

Me quedé allí, inmóvil, un momento. Busqué con los ojos a Jorge y a mis hijas. Estaban allí. No hablamos ni una palabra. Cruzamos la plaza en dirección al coche.

Estábamos guardando las cosas cuando se acercó una mujer que vendía unas telas bordadas. Era una mujer joven todavía, con la piel seca y la mirada endurecida. Instintivamente volví los ojos hacia la rueda de la fortuna que daba vueltas y más vueltas llena de caritas frescas y sonrientes.

Pensativos y melancólicos iniciamos el viaje de regreso.

A.M.Maqueo

XI. CONTESTA LAS PREGUNTAS.

1. ¿Cómo es el lugar del cuento?

2. ¿Conoces algún pueblo como éste?

3. ¿Qué es una feria?

4. ¿Cómo son las ferias en tu país?

5. ¿Qué quiere decir "peso al plato"?

6. ¿Qué otros juegos hay en las ferias?

7. ¿Quién cuenta esta historia?

8. ¿Qué otras personas están con ella?

9. ¿Cuál es el personaje principal?

10. ¿Cuál es el tema del cuento?

11. ¿Qué sentido tiene el personaje de la mujer de los bordados?

12. ¿Y el de la indita?

13. ¿Cómo te imaginas la vida de la indita?

14. ¿Crees que sabe leer y escribir?

15. ¿Cómo será su vida futura?

ACOSTAR (SE)

PRESENTE	PRETÉRITO	COPRETÉRITO	FUTURO	GERUNDIO
acuesto	acosté	acostaba	acostaré	acostando
acuestas	acostaste	acostabas	acostarás	
acuesta	acostó	acostaba	acostará	
acostamos	acostamos	acostábamos	acostaremos	
acuestan	acostaron	acostában	acostarán	

ANTEPRESENTE	ANTECOPRETÉRITO	POSPRETÉRITO	PRES.SUBJUNTIVO
he acostado	había acostado	acostaría	acueste
has "	habías "	acostarías	acuestes
ha "	había "	acostaría	acueste
hemos "	habíamos "	acostaríamos	acostemos
han "	habían "	acostarían	acuesten

IMPERATIVO	
acuesta	
no acuestes	
acueste	
acuesten	

ADVERTIR

PRESENTE	PRETÉRITO	COPRETÉRITO	FUTURO	GERUNDIO
advierto	advertí	advertía	advertiré	advirtiendo
adviertes	advertiste	advertías	advertirás	
advierte	advirtió	advertía	advertirá	
advertimos	advertimos	advertíamos	advertiremos	
advierten	advirtieron	advertían	advertirán	

ANTEPRESENTE	ANTECOPRETÉRITO	POSPRETÉRITO	PRES.SUBJUNTIVO
he advertido	había advertido	advertiría	advierta
has "	habías "	advertirías	adviertas
ha "	había "	advertiría	advierta
hemos "	habíamos "	advertiríamos	advirtamos
han "	habían "	advirtirían	adviertan

IMPERATIVO	
advierte	
no adviertas	
advierta	
adviertan	

AGRADECER

PRESENTE	PRETÉRITO	COPRETÉRITO	FUTURO	GERUNDIO
agradezco agradeces agradece agradecemos agradecen	agradecí agradeciste agradeció agradecimos agradecieron	agradecía agradecías agradecía agradecíamos agradecían	agradeceré agradecerás agradecerá agradeceremos agradecerán	agradeciendo

ANTEPRESENTE	ANTECOPRETÉRITO	POSPRETÉRITO	PRES. SUBJUNTIVO
he agradecido has " ha " hemos " han "	había agradecido habías " había " habíamos " habían "	agradecería agradecerías agradecería agradeceríamos agradecerían	agradezca agradezcas agradezca agradezcamos agradezcan

IMPERATIVO	

agradece
no agradezcas
    agradezca
    agradezcan	

APRETAR

PRESENTE	PRETÉRITO	COPRETÉRITO	FUTURO	GERUNDIO
aprieto aprietas aprieta apretamos aprietan	apreté apretaste apretó apretamos apretaron	apretaba apretabas apretaba apretábamos apretaban	apretaré apretarás apretará apretarán apretarán	apretando

ANTEPRESENTE	ANTECOPRETÉRITO	POSPRETÉRITO	PRES. SUBJUNTIVO
he apretado has " ha " hemos " han "	había apretado habías " había " habíamos " habían "	apretaría apretarías apretaría apretaríamos apretarían	apriete aprietes apriete apretemos aprieten

IMPERATIVO	

aprieta
no aprietes
    apriete
    aprieten	

CABER

PRESENTE	PRETÉRITO	COPRETÉRITO	FUTURO	GERUNDIO
quepo	cupe	cabía	cabré	cabiendo
cabes	cupiste	cabías	cabrás	
cabe	cupo	cabía	cabrá	
cabemos	cupimos	cabíamos	cabremos	
caben	cupieron	cabían	cabrán	

ANTEPRESENTE	ANTECOPRETÉRITO	POSPRETÉRITO	PRES.SUBJUNTIVO
he cabido	había cabido	cabría	quepa
has "	habías "	cabrías	quepas
ha "	había "	cabría	quepa
hemos "	habíamos "	cabríamos	quepamos
han "	habíam "	cabrían	quepan

IMPERATIVO	
cabe no quepas quepa quepan	

CAER (SE)

PRESENTE	PRETÉRITO	COPRETÉRITO	FUTURO	GERUNDIO
caigo	caí	caía	caeré	cayendo
caes	caiste	caías	caerás	
cae	cayó	caía	caerá	
caemos	caímos	caíamos	caeremos	
caen	cayeron	caían	caerán	

ANTEPRESENTE	ANTECOPRETÉRITO	POSPRETÉRITO	PRES.SUBJUNTIVO
he caído	había caído	caería	caiga
has "	habías "	caerías	caigas
ha "	había "	caería	caiga
hemos "	habíamos "	caeríamos	caigamos
han "	habían "	caerían	caigan

IMPERATIVO	
cae no caigas caiga caigan	

CERRAR

PRESENTE	PRETÉRITO	COPRETÉRITO	FUTURO	GERUNDIO
cierro	cerré	cerraba	cerraré	cerrando
cierras	cerraste	cerrabas	cerrarás	
cierra	cerró	cerraba	cerrará	
cerramos	cerramos	cerrábamos	cerraremos	
cierran	cerraron	cerraban	cerrarán	

ANTEPRESENTE	ANTECOPRETÉRITO	POSPRETÉRITO	PRES.SUBJUNTIVO
he cerrado	había cerrado	cerraría	cierre
has "	habías "	cerrarías	cierres
ha "	había "	cerraría	cierre
hemos "	habíamos "	cerraríamos	cerremos
han "	habían "	cerrarían	cierren

IMPERATIVO	
cierra	
no cierres	
cierre	
cierren	

COMPONER

PRESENTE	PRETÉRITO	COPRETÉRITO	FUTURO	GERUNDIO
compongo	compuse	componía	compondré	componiendo
compones	compusiste	componías	compondrás	
compone	compuso	componía	compondrá	
componemos	compusimos	componíamos	compondremos	
componen	compusieron	componían	compondrán	

ANTEPRESENTE	ANTECOPRETÉRITO	POSPRETÉRITO	PRES.SUBJUNTIVO
he compuesto	había compuesto	compondría	componga
has "	habías "	compondrías	compongas
ha "	había "	compondría	componga
hemos "	habíamos "	compondríamos	compongamos
han "	habían "	compondrían	compongan

IMPERATIVO	
compón	
no compongas	
componga	
compongan	

CONCLUIR

PRESENTE	PRETÉRITO	COPRETÉRITO	FUTURO	GERUNDIO
concluyo	concluí	concluía	concluiré	concluyendo
concluyes	concluíste	concluías	concluirás	
concluye	concluyó	concluía	concluirá	
concluimos	concluimos	concluíamos	concluiremos	
concluyen	concluyeron	concluían	concluirán	

ANTEPRESENTE	ANTECOPRETÉRITO		POSPRETÉRITO	PRES.SUBJUNTIVO
he concluido	había concluido		concluiría	concluya
has "	habías "		concluirías	concluyas
ha "	había "		concluiría	concluya
hemos "	habíamos "		concluiríamos	concluyamos
han "	habían "		concluirían	concluyan

IMPERATIVO	
concluye	
no concluyas	
concluya	
concluyan	

CONOCER

PRESENTE	PRETÉRITO	COPRETÉRITO	FUTURO	GERUNDIO
conozco	conocí	conocía	conoceré	conociendo
conoces	conocíste	conocías	conocerás	
conoce	conoció	conocía	conocerá	
conocemos	conocímos	conocíamos	conoceremos	
conocen	conocieron	conocían	conocerán	

ANTEPRESENTE	ANTECOPRETÉRITO		POSPRETÉRITO	PRES.SUBJUNTIVO
he conocido	había conocido		conocería	conozca
has "	habías "		conocerías	conozcas
ha "	había "		conocería	conozca
hemos "	habíamos "		conoceríamos	conozcamos
han "	habían "		conocerían	conozcan

IMPERATIVO	
conoce	
no conozcas	
conozca	
conozcan	

CONSEGUIR

PRESENTE	PRETÉRITO	COPRETÉRITO	FUTURO	GERUNDIO
consigo	conseguí	conseguía	conseguiré	consiguiendo
consigues	conseguíste	conseguías	conseguirás	
consigue	consiguió	conseguía	conseguirá	
conseguimos	conseguimos	conseguíamos	conseguiremos	
consiguen	consiguieron	conseguían	conseguirán	

ANTEPRESENTE	ANTECOPRETÉRITO	POSPRETÉRITO	PRES.SUBJUNTIVO
he conseguido	había conseguido	conseguiría	consiga
has "	habías "	conseguirías	consigas
ha "	había "	conseguiría	consiga
hemos "	habíamos "	conseguiríamos	consigamos
han "	habían "	conseguirían	consigan

IMPERATIVO	
consigue	
no consigas	
consiga	
consigan	

CONSTITUIR

PRESENTE	PRETÉRITO	COPRETÉRITO	FUTURO	GERUNDIO
constituyo	constituí	constituía	constituiré	constituyendo
constituyes	constituíste	constituías	constituirás	
constituye	constituyó	constituía	constituirá	
constituimos	constituimos	constituíamos	constituiremos	
constituyen	constituyeron	constituían	constituirán	

ANTEPRESENTE	ANTECOPRETÉRITO	POSPRETÉRITO	PRES.SUBJUNTIVO
he constituido	había constituido	constituiría	constituya
has "	habías "	constituirías	constituyas
ha "	había "	constituiría	constituya
hemos "	habíamos "	constituiríamos	constituyamos
han "	habían "	constituirían	constituyan

IMPERATIVO	
constituye	
no constituyas	
constituya	
constituyan	

CONSTRUIR

PRESENTE	PRETÉRITO	COPRETÉRITO	FUTURO	GERUNDIO
construyo	construí	construía	construiré	construyendo
construyes	construíste	construías	construirás	
construye	construyó	construía	construirá	
construimos	construimos	construíamos	construiremos	
construyen	construyeron	construían	construirán	

ANTEPRESENTE	ANTECOPRETÉRITO		POSPRETÉRITO	PRES.SUBJUNTIVO
he construido	había construido		construiría	construya
has "	habías "		construirías	construyas
ha "	había "		construiría	construya
hemos "	habíamos "		construiríamos	construyamos
han "	habían "		construirían	construyan

IMPERATIVO	

constuye
no   construyas
       construya
       construyan	

CONTAR

PRESENTE	PRETÉRITO	COPRETÉRITO	FUTURO	GERUNDIO
cuento	conté	contaba	contaré	contando
cuentas	contaste	contabas	contarás	
cuenta	contó	contaba	contará	
contamos	contamos	contábamos	contaremos	
cuentan	contaron	contaban	contarán	

ANTEPRESENTE	ANTECOPRETÉRITO		POSPRETÉRITO	PRES.SUBJUNTIVO
he contado	había contado		contaría	cuente
has "	habías "		contarías	cuentes
ha "	había "		contaría	cuente
hemos "	habíamos "		contaríamos	contemos
han "	habían "		contarían	cuenten

IMPERATIVO	

cuenta
no   cuentes
       cuente
       cuenten	

CONTRIBUIR

PRESENTE	PRETÉRITO	COPRETÉRITO	FUTURO	GERUNDIO
contribuyo	contribuí	contribuía	contribuiré	contribuyendo
contribuyes	contribuiste	contribuías	contribuirás	
contribuye	contribuyó	contribuía	contribuirá	
contribuimos	contribuimos	contribuíamos	contribuiremos	
contribuyen	contribuyeron	contribuían	contribuirán	

ANTEPRESENTE	ANTECOPRETÉRITO	POSPRETÉRITO	PRES.SUBJUNTIVO
he contribuido	había contribuido	contribuiría	contribuya
has "	habías "	contribuirías	contribuyas
ha "	había "	contribuiría	contribuya
hemos "	habíamos "	contribuiríamos	contribuyamos
han "	habían "	contribuirían	contribuyan

IMPERATIVO	
	contribuye
no	contribuyas
	contribuya
	contribuyan

CONVERTIR

PRESENTE	PRETÉRITO	COPRETÉRITO	FUTURO	GERUNDIO
convierto	convertí	convertía	convertiré	convirtiendo
conviertes	convertiste	convertías	convertirás	
convierte	convirtió	convertía	convertirá	
convertimos	convertimos	convertíamos	convertiremos	
convierten	convirtieron	convertían	convertirán	

ANTEPRESENTE	ANTECOPRETÉRITO	POSPRETÉRITO	PRES.SUBJUNTIVO
he convertido	había convertido	convertiría	convierta
has "	habías "	convertirías	conviertas
ha "	había "	convertiría	convierta
hemos "	habíamos "	convertiríamos	convertamos
han "	habían "	convertirían	conviertan

IMPERATIVO	
	convierte
no	conviertas
	convierta
	conviertan

DAR

PRESENTE	PRETÉRITO	COPRETÉRITO	FUTURO	GERUNDIO
doy	di	daba	daré	dando
das	diste	dabas	darás	
da	dio	daba	dará	
damos	dimos	dábamos	daremos	
dan	dieron	daban	darán	

ANTEPRESENTE	ANTECOPRETÉRITO	POSPRETÉRITO	PRES.SUBJUNTIVO
he dado	había dado	daría	dé
has "	habías "	darías	des
ha "	había "	daría	dé
hemos "	habíamos "	daríamos	demos
han "	habían "	darían	den

IMPERATIVO	

da
no des
    dé
    den	

DECIR

PRESENTE	PRETÉRITO	COPRETÉRITO	FUTURO	GERUNDIO
digo	dije	decía	diré	diciendo
dices	dijiste	decías	dirás	
dice	dijo	decía	dirá	
decimos	dijimos	decíamos	diremos	
dicen	dijeron	decían	dirán	

ANTEPRESENTE	ANTECOPRETÉRITO	POSPRETÉRITO	PRES.SUBJUNTIVO
he dicho	había dicho	diría	diga
has "	habías "	dirías	digas
ha "	había "	diría	diga
hemos "	habíamos "	diríamos	digamos
han "	habían "	dirían	digan

IMPERATIVO	

di
no digas
    diga
    digan	

DEDUCIR

PRESENTE	PRETÉRITO	COPRETÉRITO	FUTURO	GERUNDIO
deduzco	deduje	deducía	deduciré	deduciendo
deduces	dedujiste	deducías	deducirás	
deduce	dedujo	deducía	deducirá	
deducimos	dedujimos	deducíamos	deduciremos	
deducen	dedujeron	deducían	deducirán	

ANTEPRESENTE	ANTECOPRETÉRITO	POSPRETÉRITO	PRES. SUBJUNTIVO
he deducido	había deducido	deduciría	deduzca
has "	habías "	deducirías	deduzcas
ha "	había "	deduciría	deduzca
hemos "	habíamos "	deduciríamos	deduzcamos
han "	habían "	deducirían	deduzcan

IMPERATIVO	
deduce no deduzcas deduzca deduzcan	

DESAPARECER

PRESENTE	PRETÉRITO	COPRETÉRITO	FUTURO
desaparezco	desaparecí	desaparecía	desapareceré
desapareces	desapareciste	desaparecías	desaparecerás
desaparece	desapareció	desaparecía	desaparecerá
desaparecemos	desaparecimos	desaparecíamos	desapareceremos
desaparecen	desaparecieron	desaparecían	desaparecerán

ANTEPRESENTE	ANTECOPRETÉRITO	POSPRETÉRITO	PRES. SUBJUNTIVO
he desaparecido	había desaparecido	desaparecería	desaparezca
has "	habías "	desaparecerías	desaparezcas
ha "	había "	desaparecería	desaparezca
hemos "	habíamos "	desapareceríamos	desaparezcamos
han "	habían "	desaparecerían	desaparezcan

IMPERATIVO	GERUNDIO	
desaparece no desaparezcas desaparezca desaparezcan	desapareciendo	

DESCOMPONER

PRESENTE	PRETÉRITO	COPRETÉRITO	FUTURO
descompongo	descompuse	descomponía	descompondré
descompones	descompusiste	descomponías	descompondrás
descompone	descompuso	descomponía	descompondrá
descomponemos	descompusimos	descomponíamos	descompondremos
descomponen	descompusieron	descomponían	descompondrán

ANTEPRESENTE	ANTECOPRETÉRITO	POSPRETÉRITO	PRES.SUBJUNTIVO
he descompuesto	había descompuesto	descompondría	descomponga
has "	habías "	descompondrías	descompongas
ha "	había "	descompondría	descomponga
hemos "	habíamos "	descompondríamos	descompongamos
han "	habían "	descompondrían	descompongan

IMPERATIVO	GERUNDIO		
descompón	descomponiendo		
no descompongas			
descomponga			
descompongan			

DESHACER

PRESENTE	PRETÉRITO	COPRETÉRITO	FUTURO	GERUNDIO
deshago	deshice	deshacía	desharé	deshaciendo
deshaces	deshiciste	deshacías	desharás	
deshace	deshizo	deshacía	deshará	
deshacemos	deshicimos	deshacíamos	desharemos	
deshacen	deshicieron	deshacían	desharán	

ANTEPRESENTE	ANTECOPRETÉRITO	POSPRETÉRITO	PRES.SUBJUNTIVO
he deshecho	había deshecho	desharía	deshaga
has "	habías "	desharías	deshagas
ha "	había "	desharía	deshaga
hemos "	habíamos "	desharíamos	deshagamos
han "	habían "	desharían	deshagan

IMPERATIVO			
deshaz			
no deshagas			
deshaga			
deshagan			

DESPEDIR (SE)

PRESENTE	PRETÉRITO	COPRETÉRITO	FUTURO	GERUNDIO
despido	despedí	despedía	despediré	despidiendo
despides	despediste	despedías	despedirás	
despide	despidió	despedía	despedirá	
despedimos	despedimos	despedíamos	despediremos	
despiden	despidieron	despedían	despedirán	

ANTEPRESENTE	ANTECOPRETÉRITO	POSPRETÉRITO	PRES.SUBJUNTIVO
he despedido	había despedido	despediría	despida
has "	habías "	despedirías	despidas
ha "	había "	despediría	despida
hemos "	habíamos "	despediríamos	despidamos
han "	habían "	despedirían	despidan

IMPERATIVO	

despide
no despidas
    despida
    despidan	

DESPERTAR (SE)

PRESENTE	PRETÉRITO	COPRETÉRITO	FUTURO	GERUNDIO
despierto	desperté	despertaba	despertaré	despertando
despiertas	despertaste	despertabas	despertarás	
despierta	despertó	despertaba	despertará	
despertamos	despertamos	despertabamos	despertaremos	
despiertan	despertaron	despertaban	despertarán	

ANTEPRESENTE	ANTECOPRETÉRITO	POSPRETÉRITO	PRES.SUBJUNTIVO
he despertado	había despertado	despertaría	despierte
has "	habías "	despertarías	despiertes
ha "	había "	despertaría	despierte
hemos "	habíamos "	despertaríamos	despertemos
han "	habían "	despertarían	despierten

IMPERATIVO	

despierta
no despiertes
    despierte
    despierten	

DESTRUIR

PRESENTE	PRETÉRITO	COPRETÉRITO	FUTURO	GERUNDIO
destruyo destruyes destruye destruimos destruyen	destruí destruiste destruyó destruimos destruyeron	destruía destruías destruía destruíamos destruían	destruiré destruirás destruirá destruiremos destruirán	destruyendo

ANTEPRESENTE	ANTECOPRETÉRITO	POSPRETÉRITO	PRES.SUBJUNTIVO
he destruido has " ha " hemos " han "	había destruido habías " había " habíamos " habían "	destruiría destruirías destruiría destruiríamos destruirían	destruya destruyas destruya destruyamos destruyan

IMPERATIVO	

destruye
no destruyas
   destruya
   destruyan	

DETENER

PRESENTE	PRETÉRITO	COPRETÉRITO	FUTURO	GERUNDIO
detengo detienes detiene detenemos detienen	detuve detuviste detuvo detuvimos detuvieron	detenía detenías detenía deteníamos detenían	detendré detendrás detendrá detendremos detendrán	deteniendo

ANTEPRESENTE	ANTECOPRETÉRITO	POSPRETÉRITO	PRES.SUBJUNTIVO
he detenido has " ha " hemos " han "	había detenido habías " había " habíamos " habían "	detendría detendrías detendría detendríamos detendrán	detenga detengas detenga detengamos detengan

IMPERATIVO	

detén
no detengas
  detenga
  detengan	

PRESENTE	PRETÉRITO	COPRETÉRITO	FUTURO	GERUNDIO
devuelvo	devolví	devolvía	devolveré	devolviendo
devuelves	devolviste	devolvías	devolverás	
devuelve	devolvió	devolvía	devolverá	
devolvemos	devolvimos	devolvíamos	devolveremos	
devuelven	devolvieron	devolvían	devolverá	

ANTEPRESENTE	ANTECOPRETÉRITO	POSPRETÉRITO	PRES.SUBJUNTIVO
he devuelto	había devuelto	devolvería	devuelva
has "	habías "	devolverías	devuelvas
ha "	había "	devolvería	devuelva
hemos "	habíamos "	devolveríamos	devolvamos
han "	habían "	devolverían	devuelvan

IMPERATIVO
devuelve
no devuelvas
devuelva
devuelvan

PRESENTE	PRETÉRITO	COPRETÉRITO	FUTURO	GERUNDIO
distribuyo	distribuí	distribuía	distribuiré	distribuyendo
distribuyes	distrbuiste	distribuías	distribuirás	
distribuye	distribuyó	distribuía	distribuirá	
distribuimos	distribuimos	distribuíamos	distribuiremos	
distribuyen	distribuyeron	distribuían	distribuirán	

ANTEPRESENTE	ANTECOPRETÉRITO	POSPRETÉRITO	PRES.SUBJUNTIVO
he distribuido	había distribuido	distribuiría	distribuya
has "	habías "	distribuirías	distribuyas
ha "	había "	distribuiría	distribuya
hemos "	habíamos "	distribuiríamos	distribuyamos
han "	habían "	distribuirían	distribuyan

IMPERATIVO
distribuye
no distribuyas
distribuya
distribuyan

DORMIR

PRESENTE	PRETÉRITO	COPRETÉRITO	FUTURO	GERUNDIO
duermo	dormí	dormía	dormiré	durmiendo
duermes	dormiste	dormías	dormirás	
duerme	durmió	dormía	dormirá	
dormimos	dormimos	dormíamos	dormiremos	
duermen	durmieron	dormían	dormirán	

ANTEPRESENTE	ANTECOPRETÉRITO	POSPRETÉRITO	PRES.SUBJUNTIVO
he dormido	había dormido	dormiría	duerma
has "	habías "	dormirías	duermas
ha "	había "	dormiría	duerma
hemos "	habíamos "	dormiríamos	durmamos
han "	habían "	dormirían	duerman

IMPERATIVO	
duerme	
no duermas	
duerma	
duerman	

EMPEZAR

PRESENTE	PRETÉRITO	COPRETÉRITO	FUTURO	GERUNDIO
empiezo	empecé	empezaba	empezaré	empezando
empiezas	empezaste	empezabas	empezarás	
empieza	empezó	empezaba	empezará	
empezamos	empezamos	empezábamos	empezaremos	
empiezan	empezaron	empezaban	empezarán	

ANTEPRESENTE	ANTECOPRETÉRITO	POSPRETÉRITO	PRES.SUBJUNTIVO
he empezado	había empezado	empezaría	empiece
has "	habías "	empezarías	empieces
ha "	había "	empezaría	empiece
hemos "	habíamos "	empezaríamos	empecemos
han "	habían "	empezarían	empiecen

IMPERATIVO	
empieza	
no empieces	
empiece	
empiecen	

ENCENDER

PRESENTE	PRETÉRITO	COPRETÉRITO	FUTURO	GERUNDIO
enciendo	encendí	encendía	encenderé	encendiendo
enciendes	encendiste	encendías	encenderás	
enciende	encendió	encendía	encenderá	
encendemos	encendimos	encendíamos	encenderemos	
encienden	encendieron	encendían	encenderán	

ANTEPRESENTE	ANTECOPRETÉRITO	POSPRETÉRITO	PRES.SUBJUNTIVO
he encendido	había encendido	encendería	encienda
has "	habías "	encenderías	enciendas
ha "	había "	encendería	encienda
hemos "	habíamos "	encenderíamos	encendamos
han "	habían "	encenderían	enciendan

IMPERATIVO	
enciende	
no enciendas	
encienda	
enciendan	

ENCONTRAR

PRESENTE	PRETÉRITO	COPRETÉRITO	FUTURO	GERUNDIO
encuentro	encontré	encontraba	encontraré	encontrando
encuentras	encontraste	encontrabas	encontrarás	
encuentra	encontró	encontraba	encontrará	
encontramos	encontramos	encontrábamos	encontraremos	
encuentran	encontraron	encontraban	encontrarán	

ANTEPRESENTE	ANTECOPRETÉRITO	POSPRETÉRITO	PRES.SUBJUNTIVO
he encontrado	había encontrado	encontraría	encuentre
has "	habías "	encontrarías	encuentres
ha "	había "	encontraría	encuentre
hemos "	habíamos "	encontraríamos	encontremos
han "	habían "	encontrarían	encuentren

IMPERATIVO	
encuentra	
no encuentres	
encuentre	
encuentren	

ENTENDER

PRESENTE	PRETÉRITO	COPRETÉRITO	FUTURO	GERUNDIO
entiendo	entendí	entendía	entenderé	entendiendo
entiendes	entendiste	entendías	entenderás	
entiende	entendió	entendía	entenderá	
entendemos	entendimos	entendíamos	entenderemos	
entienden	entendieron	entendían	entenderán	

ANTEPRESENTE	ANTECOPRETÉRITO	POSPRETÉRITO	PRES.SUBJUNTIVO
he entendido	había entendido	entendería	entienda
has "	habías "	entenderías	entiendas
ha "	había "	entendería	entienda
hemos "	habíamos "	entenderíamos	entendamos
han "	habían "	entenderían	entiendan

IMPERATIVO	
entiende no entiendas entienda entiendan	

ESTABLECER

PRESENTE	PRETÉRITO	COPRETÉRITO	FUTURO	GERUNDIO
establezco	establecí	establecía	estableceré	estableciendo
estableces	estableciste	establecías	establecerás	
establece	estableció	establecía	establecerá	
establecemos	establecimos	establecíamos	estableceremos	
establecen	establecieron	establecían	establecerán	

ANTEPRESENTE	ANTECOPRETÉRITO	POSPRETÉRITO	PRES.SUBJUNTIVO
he establecido	había establecido	establecería	establezca
has "	habías "	establecerías	establezcas
ha "	había "	establecería	establezca
hemos "	habíamos "	estableceríamos	establezcamos
han "	habían "	establecerían	establezcan

IMPERATIVO	
establece no establezcas establezca establezcan	

ESTAR

PRESENTE	PRETÉRITO	COPRETÉRITO	FUTURO	GERUNDIO
estoy estás está estamos están	estuve estuviste estuvo estuvimos estuvieron	estaba estabas estaba estábamos estaban	estaré estarás estará estaremos estarán	estando

ANTEPRESENTE	ANTECOPRETÉRITO	POSPRETÉRITO	PRES.SUBJUNTIVO
he estado has " ha " hemos " han "	había estado habías " había " habíamos " habían "	estaría estarías estaría estaríamos estarían	esté estés esté estemos estén

IMPERATIVO	
está no estés esté estén	

EXCLUIR

PRESENTE	PRETÉRITO	COPRETÉRITO	FUTURO	GERUNDIO
excluyo excluyes excluye excluimos excluyen	excluí excluiste excluyó excluimos excluyeron	excluía excluías excluía excluíamos excluían	excluiré excluirás excluirá excluiremos excluirán	excluyendo

ANTEPRESENTE	ANTECOPRETÉRITO	POSPRETÉRITO	PRES.SUBJUNTIVO
he excluido has " ha " hemos " han "	había excluido habías " había " habíamos " habían "	excluiría excluirías excluiría excluiríamos excluirían	excluya excluyas excluya excluyamos excluyan

IMPERATIVO	
excluye no excluyas excluya excluyan	

HABER

PRESENTE	PRETÉRITO	COPRETÉRITO	FUTURO	GERUNDIO
hay	hubo	había	habrá	habiendo

ANTEPRESENTE	ANTECOPRETÉRITO	POSPRETÉRITO	PRES.SUBJUNTIVO
ha habido	había habido	habría	haya

IMPERATIVO	

HACER

PRESENTE	PRETÉRITO	COPRETÉRITO	FUTURO	GERUNDIO
hago haces hace hacemos hacen	hice hiciste hizo hicimos hicieron	hacía hacías hacía hacíamos hacían	haré harás hará haremos harán	haciendo

ANTEPRESENTE	ANTECOPRETÉRITO	POSPRETÉRITO	PRES.SUBJUNTIVO
he hecho has " ha " hemos " han "	había hecho habías " había " habíamos " habían "	haría harías haría haríamos harían	haga hagas haga hagamos hagan

IMPERATIVO	
haz no hagas haga hagan	

HUIR

PRESENTE	PRETÉRITO	COPRETÉRITO	FUTURO	GERUNDIO
huyo	huí	huía	huiré	huyendo
huyes	huiste	huías	huirás	
huye	huyó	huía	huirá	
huimos	huimos	huíamos	huiremos	
huyen	huyeron	huían	huirán	

ANTEPRESENTE	ANTECOPRETÉRITO	POSPRETÉRITO	PRES.SUBJUNTIVO
he huido	había huido	huiría	huya
has "	habías "	huirías	huyas
ha "	había "	huiría	huya
hemos "	habíamos "	huiríamos	huyamos
han "	habían "	huirían	huyan

IMPERATIVO	
huye	
no huyas	
huya	
huyan	

IMPEDIR

PRESENTE	PRETÉRITO	COPRETÉRITO	FUTURO	GERUNDIO
impido	impedí	impedía	impediré	impidiendo
impides	impediste	impedías	impedirás	
impide	impidió	impedía	impedirá	
impedimos	impedimos	impedíamos	impediremos	
impiden	impidieron	impedían	impedirán	

ANTEPRESENTE	ANTECOPRETÉRITO	POSPRETÉRITO	PRES.SUBJUNTIVO
he impedido	había impedido	impediría	impida
has "	habías "	impedirías	impidas
ha "	había "	impediría	impida
hemos "	habíamos "	impediríamos	impidamos
han "	habían "	impedirían	impidan

IMPERATIVO	
impide	
no impidas	
impida	
impidan	

INCLUIR

PRESENTE	PRETÉRITO	COPRETÉRITO	FUTURO	GERUNDIO
incluyo	incluí	incluía	incluiré	incluyendo
incluyes	incluiste	incluías	incluirás	
incluye	incluyó	incluía	incluirá	
incluimos	incluimos	incluíamos	incluiremos	
incluyen	incluyeron	incluían	incluirán	

ANTEPRESENTE	ANTECOPRETÉRITO	POSPRETÉRITO	PRES.SUBJUNTIVO
he incluido	había incluido	incluiría	incluya
has "	habías "	incluirías	incluyas
ha "	había "	incluiría	incluya
hemos "	habíamos "	incluiríamos	incluyamos
han "	habían "	incluirían	incluyan

IMPERATIVO	
incluye no incluyas incluya incluyan	

INFLUIR

PRESENTE	PRETÉRITO	COPRETÉRITO	FUTURO	GERUNDIO
influyo	influí	influía	influiré	influyendo
influyes	influiste	influías	influirás	
influye	influyó	influía	influirá	
influimos	influimos	influíamos	influiremos	
influyen	influyeron	influían	influirán	

ANTEPRESENTE	ANTECOPRETÉRITO	POSPRETÉRITO	PRES.SUBJUNTIVO
he influido	había influido	influiría	influya
has "	habías "	influirías	influyas
ha "	había "	influiría	influya
hemos "	habíamos "	influiríamos	influyamos
han "	habían "	influirían	influyan

IMPERATIVO	
influye no influyas influya influyan	

INSTRUIR

PRESENTE	PRETÉRITO	COPRETÉRITO	FUTURO	GERUNDIO
instruyo	instruí	instruía	instruiré	instruyendo
instruyes	instruiste	instruías	instruirás	
instruye	instruyó	instruía	instruirá	
instruimos	instruimos	instruíamos	instruiremos	
instruyen	instruyeron	instruían	instruirán	

ANTEPRESENTE	ANTECOPRETÉRITO	POSPRETÉRITO	PRES.SUBJUNTIVO
he instruido	había instruido	instruiría	instruya
has "	habías "	instruirías	instruyas
ha "	había "	instruiría	instruya
hemos "	habíamos "	instruiríamos	instruyamos
han "	habían "	instruirían	instruyan

IMPERATIVO	
instruye	
no instruyas	
instruya	
instruyan	

INVERTIR

PRESENTE	PRETÉRITO	COPRETÉRITO	FUTURO	GERUNDIO
invierto	invertí	invertía	invertiré	invirtiendo
inviertes	invertiste	invertías	invertirás	
invierte	invirtió	invertía	invertirá	
invertimos	invertimos	invertíamos	invertiremos	
invierten	invirtieron	invertían	invertirán	

ANTEPRESENTE	ANTECOPRETÉRITO	POSPRETÉRITO	PRES.SUBJUNTIVO
he invertido	había invertido	invertiría	invierta
has "	habías "	invertirías	inviertas
ha "	había "	invertiría	invierta
hemos "	habíamos "	invertiríamos	invirtamos
han "	habían "	invertirían	inviertan

IMPERATIVO	
invierte	
no inviertas	
invierta	
inviertan	

IR

PRESENTE	PRETÉRITO	COPRETÉRITO	FUTURO	GERUNDIO
voy	fui	iba	iré	yendo
vas	fuiste	ibas	irás	
va	fue	iba	irá	
vamos	fuimos	íbamos	iremos	
van	fueron	íban	irán	

ANTEPRESENTE	ANTECOPRETÉRITO		POSPRETÉRITO	PRES.SUBJUNTIVO
he ido	había ido		iría	vaya
has "	habías "		irías	vayas
ha "	había "		iría	vaya
hemos "	habíamos "		iríamos	vayamos
han "	habían "		irían	vayan

IMPERATIVO	
ve no vayas vaya vayan	

JUGAR

PRESENTE	PRETÉRITO	COPRETÉRITO	FUTURO	GERUNDIO
juego	jugué	jugaba	jugaré	jugando
juegas	jugaste	jugabas	jugarás	
juega	jugó	jugaba	jugará	
jugamos	jugamos	jugábamos	jugaremos	
juegan	jugaron	jugaban	jugarán	

ANTEPRESENTE	ANTECOPRETÉRITO		POSPRETÉRITO	PRES.SUBJUNTIVO
he jugado	había jugado		jugaría	juegue
has "	habías "		jugarías	juegues
ha "	había "		jugaría	juegue
hemos "	habíamos "		jugaríamos	juguemos
han "	habían "		jugarían	jueguen

IMPERATIVO	
juega no juegues juegue jueguen	

LLOVER

PRESENTE	PRETÉRITO	COPRETÉRITO	FUTURO	GERUNDIO
llueve	llovió	llovía	lloverá	lloviendo

ANTEPRESENTE	ANTECOPRETÉRITO	POSPRETÉRITO	PRES.SUBJUNTIVO
ha llovido	había llovido	llovería	llueva

IMPERATIVO	

MENTIR

PRESENTE	PRETÉRITO	COPRETÉRITO	FUTURO	GERUNDIO
miento	mentí	mentía	mentiré	mintiendo
mientes	mentiste	mentías	mentirás	
miente	mintió	mentía	mentirá	
mentimos	mentimos	mentíamos	mentiremos	
mienten	mintieron	mentían	mentirán	

ANTEPRESENTE	ANTECOPRETÉRITO	POSPRETÉRITO	PRES.SUBJUNTIVO
he mentido	había mentido	mentiría	mienta
has "	habías "	mentirías	mientas
ha "	había "	mentiría	mienta
hemos "	habíamos "	mentiríamos	mintamos
han "	habían "	mentirían	mientan

IMPERATIVO	
miente no mientas mienta mientan	

MERECER

PRESENTE	PRETÉRITO	COPRETÉRITO	FUTURO	GERUNDIO
merezco	merecí	merecía	mereceré	mereciendo
mereces	mereciste	merecías	merecerás	
merece	mereció	merecía	merecerá	
merecemos	merecimos	merecíamos	mereceremos	
merecen	merecieron	merecían	merecerán	

ANTEPRESENTE	ANTECOPRETÉRITO		POSPRETÉRITO	PRES.SUBJUNTIVO
he merecido	había merecido		merecería	merezca
has "	habías "		merecerías	merezcas
ha, "	había "		merecería	merezca
hemos "	habíamos "		mereceríamos	merezcamos
han "	habían "		merecerían	merezcan

IMPERATIVO	
merece no merezcas merezca merezcan	

MOLER

PRESENTE	PRETÉRITO	COPRETÉRITO	FUTURO	GERUNDIO
muelo	molí	molía	moleré	moliendo
mueles	moliste	molías	molerás	
muele	molió	molía	molerá	
molemos	molimos	molíamos	moleremos	
muelen	molieron	molían	molerán	

ANTEPRESENTE	ANTECOPRETÉRITO		POSPRETÉRITO	PRES.SUBJUNTIVO
he molido	había molido		molería	muela
has "	habías "		molerías	muelas
ha "	había "		molería	muela
hemos "	habíamos "		moleríamos	molamos
han "	habían "		molerían	muelan

IMPERATIVO	
muele no muelas muela muelan	

MORIR

PRESENTE	PRETÉRITO	COPRETÉRITO	FUTURO	GERUNDIO
muero	morí	moría	moriré	muriendo
mueres	moriste	morías	morirás	
muere	murió	moría	morirá	
morimos	morimos	moríamos	moriremos	
mueren	murieron	morían	morirán	

ANTEPRESENTE	ANTECOPRETÉRITO	POSPRETÉRITO	PRES.SUBJUNTIVO
he muerto	había muerto	moriría	muera
has "	habías "	morirías	mueras
ha "	había "	moriría	muera
hemos "	habíamos "	moriríamos	muramos
han "	habían "	morirían	mueran

IMPERATIVO	
muere	
no mueras	
muera	
mueran	

NEGAR

PRESENTE	PRETÉRITO	COPRETÉRITO	FUTURO	GERUNDIO
niego	negué	negaba	negaré	negando
niegas	negaste	negabas	negarás	
niega	negó	negaba	negará	
negamos	negamos	negábamos	negaremos	
niegan	negaron	negaban	negarán	

ANTEPRESENTE	ANTECOPRETÉRITO	POSPRETÉRITO	PRES.SUBJUNTIVO
he negado	había negado	negaría	niegue
has "	habías "	negarías	niegues
ha "	había "	negaría	niegue
hemos "	habíamos "	negaríamos	neguemos
han "	habían "	negarían	nieguen

IMPERATIVO	
niega	
no niegues	
niegue	
nieguen	

NEVAR

PRESENTE	PRETÉRITO	COPRETÉRITO	FUTURO	GERUNDIO
nieva	nevó	nevaba	nevará	nevando

ANTEPRESENTE	ANTECOPRETÉRITO	POSPRETÉRITO	PRES.SUBJUNTIVO
ha nevado	había nevado	nevaría	nieve

IMPERATIVO	

OBEDECER

PRESENTE	PRETÉRITO	COPRETÉRITO	FUTURO	GERUNDIO
obedezco obedeces obedece obedecemos obedecen	obedecí obedeciste obedeció obedecimos obedecieron	obedecía obedecías obedecía obedecíamos obedecían	obedeceré obedecerás obedecerá obedeceremos obedecerán	obedeciendo

ANTEPRESENTE	ANTECOPRETÉRITO	POSPRETÉRITO	PRES.SUBJUNTIVO
he obedecido has " ha " hemos " han "	había obedecido habías " había " habíamos " habían "	obedecería obedecerías obedecería obedeceríamos obedecerían	obedezca obedezcas obedezca obedezcamos obedezcan

IMPERATIVO	

obedece
no obedezcas
     obedezca
     obedezcan	

OIR

PRESENTE	PRETÉRITO	COPRETÉRITO	FUTURO	GERUNDIO
oigo	oí	oía	oiré	oyendo
oyes	oíste	oías	oirás	
oye	oyó	oía	oirá	
oímos	oímos	oíamos	oiremos	
oyen	oyeron	oían	oirán	

ANTEPRESENTE	ANTECOPRETÉRITO	POSPRETÉRITO	PRES.SUBJUNTIVO
he oido	había oido	oiría	oiga
has "	habías "	oirías	oigas
ha "	había "	oiría	oiga
hemos "	habíamos "	oiríamos	oigamos
han "	habían "	oirían	oigan

IMPERATIVO	
oye	
no oigas	
oiga	
oigan	

OLER

PRESENTE	PRETÉRITO	COPRETÉRITO	FUTURO	GERUNDIO
huelo	olí	olía	oleré	oliendo
hueles	oliste	olías	olerás	
huele	olió	olía	olerá	
olemos	olimos	olíamos	oleremos	
huelen	olieron	olían	olerán	

ANTEPRESENTE	ANTECOPRETÉRITO	POSPRETÉRITO	PRES.SUBJUNTIVO
he olido	había olido	olería	huela
has "	habías "	olerías	huelas
ha "	había "	olería	huela
hemos "	habíamos "	oleríamos	olamos
han "	habían "	olerían	huelan

IMPERATIVO	
huele	
no huelas	
huela	
huelan	

324

PARECER

PRESENTE	PRETERITO	COPRETÉRITO	FUTURO	GERUNDIO
parezco	parecí	parecía	pareceré	pareciendo
pareces	pareciste	parecías	parecerás	
parece	pareció	parecía	parecerá	
parecemos	parecimos	parecíamos	pareceremos	
parecen	parecieron	parecían	parecerán	

ANTEPRESENTE	ANTECOPRETÉRITO	POSPRETÉRITO	PRES.SUBJUNTIVO
he parecido	había parecido	parecería	parezca
has "	habías "	parecerías	parezcas
ha "	había "	parecería	parezca
hemos "	habíamos "	pareceríamos	parezcamos
han "	habían "	parecerían	parezcan

IMPERATIVO	

no   parece
     parezcas
     parezca
     parezcan	

PEDIR

PRESENTE	PRETÉRITO	COPRETÉRITO	FUTURO	GERUNDIO
pido	pedí	pedía	pediré	pidiendo
pides	pediste	pedías	pedirás	
pide	pidió	pedía	pedirá	
pedimos	pedimos	pedíamos	pediremos	
piden	pidieron	pedían	pedirán	

ANTEPRESENTE	ANTECOPRETÉRITO	POSPRETÉRITO	PRES.SUBJUNTIVO
he pedido	había pedido	pediría	pida
has "	habías "	pedirías	pidas
ha "	había "	pediría	pida
hemos "	habíamos "	pediríamos	pidamos
han "	habían "	pedirían	pidan

IMPERATIVO	

no   pide
     pidas
     pida
     pidan	

PENSAR

PRESENTE	PRETÉRITO	COPRETÉRITO	FUTURO	GERUNDIO
pienso	pensé	pensaba	pensaré	pensando
piensas	pensaste	pensabas	pensarás	
piensa	pensó	pensaba	pensará	
pensamos	pensamos	pensábamos	pensaremos	
piensan	pensaron	pensaban	pensarán	

ANTEPRESENTE	ANTECOPRETÉRITO	POSPRETÉRITO	PRES.SUBJUNTIVO
he pensado	había pensado	pensaría	piense
has "	habías "	pensarías	pienses
ha "	había "	pensaría	piense
hemos "	habíamos "	pensaríamos	pensemos
han "	habían "	pensarían	piensen

IMPERATIVO	

piensa
no pienses
    piense
    piensen	

PERDER

PRESENTE	PRETÉRITO	COPRETÉRITO	FUTURO	GERUNDIO
pierdo	perdí	perdía	perderé	perdiendo
pierdes	perdiste	perdías	perderás	
pierde	perdió	perdía	perderá	
perdemos	perdimos	perdíamos	perderemos	
pierden	perdieron	perdían	perderán	

ANTEPRESENTE	ANTECOPRETÉRITO	POSPRETÉRITO	PRES.SUBJUNTIVO
he perdido	había perdido	perdería	pierda
has "	habías "	perderías	pierdas
ha "	había "	perdería	pierda
hemos "	habíamos "	perderíamos	perdamos
han "	habían "	perderían	pierdan

IMPERATIVO	

pierde
no pierdas
    pierda
    pierdan	

PERMANECER

PRESENTE	PRETÉRITO	COPRETÉRITO	FUTURO	GERUNDIO
permanezco	permanecí	permanecía	permaneceré	permaneciendo
permaneces	permaneciste	permanecías	permanecerás	
permanece	permaneció	permanecía	permanecerá	
permanecemos	permanecimos	permanecíamos	permaneceremos	
permanecen	permanecieron	permanecían	permanecerán	

ANTEPRESENTE	ANTECOPRETÉRITO	POSPRETÉRITO	PRES.SUBJUNTIVO
he permanecido	había permanecido	permanecería	permanezca
has "	habías "	permanecerías	permanezcas
ha "	había "	permanecería	permanezca
hemos "	habíamos "	permaneceríamos	permanezcamos
han "	habían "	permanecerían	permanezcan

IMPERATIVO			

no   permanece
     permanezcas
     permanezca
     permanezcan			

PERTENECER

PRESENTE	PRETÉRITO	COPRETÉRITO	FUTURO	GERUNDIO
pertenezco	pertenecí	pertenecía	perteneceré	perteneciendo
perteneces	perteneciste	pertenecías	pertenecerás	
pertenece	perteneció	pertenecía	pertenecerá	
pertenecemos	pertenecimos	pertenecíamos	perteneceremos	
pertenecen	pertenecieron	pertenecían	pertenecerán	

ANTEPRESENTE	ANTECOPRETÉRITO	POSPRETÉRITO	PRES.SUBJUNTIVO
he pertenecido	había pertenecido	pertenecería	pertenezca
has "	habías "	pertenecerías	pertenezcas
ha "	había "	pertenecería	pertenezca
hemos "	habíamos "	perteneceríamos	pertenezcamos
han "	habían "	pertenecerían	pertenezcan

IMPERATIVO			

no   pertenece
     pertenezcas
     pertenezca
     pertenezcan			

PODER

PRESENTE	PRETÉRITO	COPRETÉRITO	FUTURO	GERUNDIO
puedo	pude	podía	podré	pudiendo
puedes	pudiste	podías	podrás	
puede	pudo	podía	podrá	
podemos	pudimos	podíamos	podremos	
pueden	pudieron	podían	podrán	

ANTEPRESENTE	ANTECOPRETÉRITO		POSPRETÉRITO	PRES.SUBJUNTIVO
he podido	había podido		podría	pueda
has "	habías "		podrías	puedas
ha "	había "		podría	pueda
hemos "	habíamos "		podríamos	podamos
han "	habían "		podrían	puedan

IMPERATIVO	
	puede
no	puedas
	pueda
	puedan

PONER

PRESENTE	PRETÉRITO	COPRETÉRITO	FUTURO	GERUNDIO
pongo	puse	ponía	pondré	poniendo
pones	pusiste	ponías	pondrás	
pone	puso	ponía	pondrá	
ponemos	pusimos	poníamos	pondremos	
ponen	pusieron	ponían	pondrán	

ANTEPRESENTE	ANTECOPRETÉRITO		POSPRETÉRITO	PRES.SUBJUNTIVO
he puesto	había puesto		pondría	ponga
has "	habías "		pondrías	pongas
ha "	había "		pondría	ponga
hemos "	habíamos "		pondríamos	pongamos
han "	habían "		pondrían	pongan

IMPERATIVO	
	pon
no	pongas
	ponga
	pongan

PREFERIR

PRESENTE	PRETÉRITO	COPRETÉRITO	FUTURO	GERUNDIO
prefiero	preferí	prefería	preferiré	prefiriendo
prefieres	preferiste	preferías	preferirás	
prefiere	prefirió	prefería	preferirá	
preferimos	preferimos	preferíamos	preferiremos	
prefieren	prefirieron	preferían	preferirán	

ANTEPRESENTE	ANTECOPRETÉRITO	POSPRETÉRITO	PRES.SUBJUNTIVO
he preferido	había preferido	preferiría	prefiera
has "	habías "	preferirías	prefieras
ha "	había "	preferiría	prefiera
hemos "	habíamos "	preferiríamos	prefiramos
han "	habían "	preferirían	prefieran

IMPERATIVO	
prefiere no prefieras prefiera prefieran	

PRODUCIR

PRESENTE	PRETÉRITO	COPRETÉRITO	FUTURO	GERUNDIO
produzco	produje	producía	produciré	produciendo
produces	produjiste	producías	producirás	
produce	produjo	producía	producirá	
producimos	produjimos	producíamos	produciremos	
producen	produjeron	producían	producirán	

ANTEPRESENTE	ANTECOPRETÉRITO	POSPRETÉRITO	PRES.SUBJUNTIVO
he producido	había producido	produciría	produzca
has "	habías "	producirías	produzcas
ha "	había "	produciría	produzca
hemos "	habíamos "	produciríamos	produzcamos
han "	habían "	producirían	produzcan

IMPERATIVO	
produce no produzcas produzca produzcan	

QUERER

PRESENTE	PRETÉRITO	COPRETÉRITO	FUTURO	GERUNDIO
quiero	quise	quería	querré	queriendo
quieres	quisiste	querías	querrás	
quiere	quiso	quería	querrá	
queremos	quisimos	queríamos	querremos	
quieren	quisieron	querían	querrán	

ANTEPRESENTE	ANTECOPRETÉRITO	POSPRETÉRITO	PRES.SUBJUNTIVO
he querido	había querido	querría	quiera
has "	habías "	querrías	quieras
ha "	había "	querría	quisiera
hemos "	habíamos "	querríamos	querramos
han "	habían "	querrían	quieran

IMPERATIVO
quiere
no quieras
quiera
quieran

RECONOCER

PRESENTE	PRETÉRITO	COPRETÉRITO	FUTURO	GERUNDIO
reconozco	reconocí	reconocía	reconoceré	reconociendo
reconoces	reconociste	reconocías	reconocerás	
reconoce	reconoció	reconocía	reconocerá	
reconocemos	reconocimos	reconoceríamos	reconoceremos	
reconocen	reconocieron	reconocían	reconocerán	

ANTEPRESENTE	ANTECOPRETÉRITO	POSPRETÉRITO	PRES.SUBJUNTIVO
he reconocido	había reconocido	reconocería	reconozca
has "	habías "	reconocerías	reconozcas
ha "	había "	reconocería	reconozca
hemos "	habíamos "	reconoceríamos	reconozcamos
han "	habían "	reconocerían	reconozcan

IMPERATIVO
reconoce
no reconozcas
reconozca
reconozcan

RECORDAR

PRESENTE	PRETÉRITO	COPRETÉRITO	FUTURO	GERUNDIO
recuerdo	recordé	recordaba	recordaré	recordando
reuerdas	recordaste	recordabas	recordarás	
recuerda	recordó	recordaba	recordará	
recordamos	recordamos	recordábamos	recordaremos	
recuerdan	recordaron	recordaban	recordarán	

ANTEPRESENTE	ANTECOPRETÉRITO	POSPRETÉRITO	PRES.SUBJUNTIVO
he recordado	había recordado	recordaría	recuerde
has "	habías "	recordarías	recuerdes
ha "	había "	recordaría	recuerde
hemos "	habíamos "	recordaríamos	recordemos
han "	habían "	recordarían	recuerden

IMPERATIVO	
recuerda	
no recuerdes	
recuerde	
recuerden	

REÍR (SE)

PRESENTE	PRETÉRITO	COPRETÉRITO	FUTURO	GERUNDIO
río	reí	reía	reiré	riendo
ríes	reíste	reías	reirás	
ríe	rio	reía	reirá	
reímos	reímos	reíamos	reiremos	
ríen	rieron	reían	reirán	

ANTEPRESENTE	ANTECOPRETÉRITO	POSPRETÉRITO	PRES.SUBJUNTIVO
he reído	había reído	reiría	ría
has "	habías "	reirías	rías
ha "	había "	reiría	ría
hemos "	habíamos "	reiríamos	riamos
han "	habían "	reirían	rían

IMPERATIVO	
ríe	
no rías	
ría	
rían	

REPETIR

PRESENTE	PRETÉRITO	COPRETÉRITO	FUTURO	GERUNDIO
repito repites repite repetimos repiten	repetí repetiste repitió repetimos repitieron	repetía repetías repetía repetíamos repetían	repetiré repetirás repetiré repetiremos repetirán	repitiendo

ANTEPRESENTE	ANTECOPRETÉRITO	POSPRETÉRITO	PRES.SUBJUNTIVO
he repetido has " ha " hemos " han "	había repetido habías " había " habíamos " habían "	repetiría repetirías repetiría repetiríamos repetirían	repita repitas repita repitamos repitan

IMPERATIVO	

repite
no repitas
    repita
    repitan	

RESOLVER

PRESENTE	PRETÉRITO	COPRETÉRITO	FUTURO	GERUNDIO
resuelvo resuelves resuelve resolvemos resuelven	resolví resolviste resolvió resolvimos resolvieron	resolvía resolvías resolvía resolveríamos resolverían	resolveré resolverás resolverá resolveremos resolverán	resolviendo

ANTEPRESENTE	ANTECOPRETÉRITO	POSPRETÉRITO	PRES.SUBJUNTIVO
he resuelto has " ha " hemos " han "	había resuelto habías " había " habíamos " habían "	resolvería resolverías resolvería resolveríamos resolverían	resuelva resuelvas resuelva resolvamos resuelvan

IMPERATIVO	

resuelve
no resuelvas
    resuelva
    resuelvan	

ROGAR

PRESENTE	PRETÉRITO	COPRETÉRITO	FUTURO	GERUNDIO
ruego	rogué	rogaba	rogaré	rogando
ruegas	rogaste	rogabas	rogarás	
ruega	rogó	rogaba	rogará	
rogamos	rogamos	rogábamos	rogaremos	
ruegan	rogaron	rogaban	rogarán	

ANTEPRESENTE	ANTECOPRETÉRITO	POSPRETÉRITO	PRES.SUBJUNTIVO
he rogado	había rogado	rogaría	ruegue
has "	habías "	rogarías	ruegues
ha "	había "	rogaría	ruegue
hemos "	habíamos "	rogaríamos	roguemos
han "	habían "	rogarían	rueguen

IMPERATIVO	
ruega	
no ruegues	
ruegue	
rueguen	

ROMPER

PRESENTE	PRETÉRITO	COPRETÉRITO	FUTURO	GERUNDIO
rompo	rompí	rompía	romperé	rompiendo
rompes	rompiste	rompías	romperás	
rompe	rompió	rompía	romperá	
rompemos	rompimos	rompíamos	romperemos	
rompen	rompieron	rompían	romperán	

ANTEPRESENTE	ANTECOPRETÉRITO	POSPRETÉRITO	PRES.SUBJUNTIVO
he roto	había roto	rompería	rompa
has "	habías "	romperías	rompas
ha "	había "	rompería	rompa
hemos "	habíamos "	romperíamos	rompamos
han "	habían "	romperían	rompan

IMPERATIVO	
rompe	
no rompas	
rompa	
rompan	

SABER

PRESENTE	PRETÉRITO	COPRETÉRITO	FUTURO	GERUNDIO
sé	supe	sabía	sabré	sabiendo
sabes	supiste	sabías	sabrás	
sabe	supo	sabía	sabrá	
sabemos	supimos	sabíamos	sabremos	
saben	supieron	sabían	sabrán	

ANTEPRESENTE	ANTECOPRETÉRITO		POSPRETÉRITO	PRES.SUBJUNTIVO
he sabido	había sabido		sabría	sepa
has "	habías "		sabrías	sepas
ha "	había "		sabría	sepa
hemos "	habíamos "		sabríamos	sepamos
han "	habían "		sabrían	sepan

IMPERATIVO	

no   sabe
      sepas
      sepa
      sepan	

SALIR

PRESENTE	PRETÉRITO	COPRETÉRITO	FUTURO	GERUNDIO
salgo	salí	salía	saldré	saliendo
sales	saliste	salías	saldrás	
sale	salió	salía	saldrá	
salimos	salimos	salíamos	saldremos	
salen	salieron	salían	saldrán	

ANTEPRESENTE	ANTECOPRETÉRITO		POSPRETÉRITO	PRES.SUBJUNTIVO
he salido	había salido		saldría	salga
has "	habías "		saldrías	salgas
ha "	había "		saldría	salga
hemos "	habíamos "		saldríamos	salgamos
han "	habían "		saldrían	salgan

IMPERATIVO	

no   sal
      salgas
      salga
      salgan	

SEGUIR

PRESENTE	PRETÉRITO	COPRETÉRITO	FUTURO	GERUNDIO
sigo	seguí	seguía	seguiré	siguiendo
sigues	seguiste	seguías	seguirás	
sigue	siguió	seguía	seguirá	
seguimos	seguimos	seguíamos	seguiremos	
siguen	siguieron	seguían	seguirán	

ANTEPRESENTE	ANTECOPRETÉRITO	POSPRETÉRITO	PRES.SUBJUNTIVO
he seguido	había seguido	seguiría	siga
has "	habías "	seguirías	sigas
ha "	había "	seguiría	siga
hemos "	habíamos "	seguiríamos	sigamos
han "	habían "	seguirían	sigan

IMPERATIVO
sigue
no   sigas
siga
sigan

SENTAR (SE)

PRESENTE	PRETÉRITO	COPRETÉRITO	FUTURO	GERUNDIO
siento	senté	sentaba	sentaré	sentando
sientas	sentaste	sentabas	sentarás	
sienta	sentó	sentaba	sentará	
sentamos	sentamos	sentábamos	sentaremos	
sientan	sentaron	sentaban	sentarán	

ANTEPRESENTE	ANTECOPRETÉRITO	POSPRETÉRITO	PRES.SUBJUNTIVO
he sentado	había sentado	sentaría	siente
has "	habías "	sentarías	sientes
ha "	había "	sentaría	siente
hemos "	habíamos "	sentaríamos	sentemos
han "	habían "	sentarían	sienten

IMPERATIVO
sienta
no   sientes
siente
sienten

SENTIR (SE)

PRESENTE	PRETÉRITO	COPRETÉRITO	FUTURO	GERUNDIO
siento	sentí	sentía	sentiré	sintiendo
sientes	sentiste	sentías	sentirás	
siente	sintió	sentía	sentirá	
sentimos	sentimos	sentíamos	sentiremos	
sienten	sintieron	sentían	sentirán	

ANTEPRESENTE	ANTECOPRETÉRITO	POSPRETÉRITO	PRES.SUBJUNTIVO
he sentido	había sentido	sentiría	sienta
has "	habías "	sentirías	sientas
ha "	había "	sentiría	sienta
hemos "	habíamos "	sentiríamos	sintamos
han "	habían "	sentirían	sientan

IMPERATIVO

	siente
no	sientas
	sienta
	sientan

SER

PRESENTE	PRETÉRITO	COPRETÉRITO	FUTURO	GERUNDIO
soy	fui	era	seré	siendo
eres	fuiste	eras	serás	
es	fue	era	será	
somos	fuimos	éramos	seremos	
son	fueron	eran	serán	

ANTEPRESENTE	ANTECOPRETÉRITO	POSPRETÉRITO	PRES.SUBJUNTIVO
he sido	había sido	sería	sea
has "	habías "	serías	seas
ha "	había "	sería	sea
hemos "	habíamos "	seríamos	seamos
han "	habían "	serían	sean

IMPERATIVO

	se
no	seas
	sea
	sean

SERVIR

PRESENTE	PRETÉRITO	COPRETÉRITO	FUTURO	GERUNDIO
sirvo	serví	servía	serviré	sirviendo
sirves	serviste	servías	servirás	
sirve	sirvió	servía	servirá	
servimos	servimos	servíamos	serviremos	
sirven	sirvieron	servían	servirán	

ANTEPRESENTE	ANTECOPRETÉRITO		POSPRETÉRITO	PRES.SUBJUNTIVO
he servido	había servido		serviría	sirva
has "	habías "		servirías	sirvas
ha "	había "		serviría	sirva
hemos "	habíamos "		serviríamos	sirvamos
han "	habían "		servirían	sirvan

IMPERATIVO	

no   sirve
      sirvas
      sirva
      sirvan	

SONAR

PRESENTE	PRETÉRITO	COPRETÉRITO	FUTURO	GERUNDIO
sueno	soné	sonaba	sonaré	sonando
suenas	sonaste	sonabas	sonarás	
suena	sonó	sonaba	sonará	
sonamos	sonamos	sonábamos	sonaremos	
suenan	sonaron	sonaban	sonarán	

ANTEPRESENTE	ANTECOPRETÉRITO		POSPRETÉRITO	PRES.SUBJUNTIVO
he sonado	había sonado		sonaría	suene
has "	habías "		sonarías	suenes
ha "	había "		sonaría	suene
hemos "	habíamos "		sonaríamos	sonemos
han "	habían "		sonarían	suenen

IMPERATIVO	

no   suena
      suenes
      suene
      suenen	

SONREÍR (SE)

PRESENTE	PRETÉRITO	COPRETÉRITO	FUTURO	GERUNDIO
sonrío	sonreí	sonreía	sonreiré	sonriendo
sonríes	sonreiste	sonreías	sonreirás	
sonríe	sonrió	sonreía	sonreirá	
sonreímos	sonreímos	sonreíamos	sonreiremos	
sonríen	sonreían	sonreían	sonreirán	

ANTEPRESENTE	ANTECOPRETÉRITO	POSPRETÉRITO	PRES.SUBJUNTIVO
he sonreído	había sonreído	sonreiría	sonría
has "	habías "	sonreirías	sonrías
ha "	había "	sonreiría	sonría
hemos "	habíamos "	sonreiríamos	sonriamos
han "	habían "	sonreirían	sonrían

IMPERATIVO	
sonríe	
no sonrías	
sonría	
sonrían	

SUGERIR

PRESENTE	PRETÉRITO	COPRETÉRITO	FUTURO	GERUNDIO
sugiero	sugerí	sugería	sugeriré	sugiriendo
sugieres	sugeriste	sugerías	sugerirás	
sugiere	sugirió	sugería	sugerirá	
sugerimos	sugerimos	sugeríamos	sugeriremos	
sugieren	sugirieron	sugerían	sugerirán	

ANTEPRESENTE	ANTECOPRETÉRITO	POSPRETÉRITO	PRES.SUBJUNTIVO
he sugerido	había sugerido	sugeriría	sugiera
has "	habías "	sugerirías	sugieras
ha "	había "	sugeriría	sugiera
hemos "	habíamos "	sugeriríamos	sugeramos
han "	habían "	sugerirían	sugieran

IMPERATIVO	
sugiere	
no sugieras	
sugiera	
sugieran	

TENER

PRESENTE	PRETÉRITO	COPRETÉRITO	FUTURO	GERUNDIO
tengo	tuve	tenía	tendré	teniendo
tienes	tuviste	tenías	tendrás	
tiene	tuvo	tenía	tendrá	
tenemos	tuvimos	teníamos	tendremos	
tienen	tuvieron	tenían	tendrán	

ANTEPRESENTE	ANTECOPRETÉRITO	POSPRETÉRITO	PRES.SUBJUNTIVO
he tenido	había tenido	tendría	tenga
has "	habías "	tendrías	tengas
ha "	había "	tendría	tenga
hemos "	habíamos "	tendríamos	tengamos
han "	habían "	tendrían	tengan

IMPERATIVO	
ten	
no tengas	
tenga	
tengan	

TRADUCIR

PRESENTE	PRETÉRITO	COPRETÉRITO	FUTURO	GERUNDIO
traduzco	traduje	traducía	traduciré	traduciendo
traduces	tradujiste	traducías	traducirás	
traduce	tradujo	traducía	traducirá	
traducimos	tradujimos	traducíamos	traduciremos	
traducen	tradujeron	traducían	traducirán	

ANTEPRESENTE	ANTECOPRETÉRITO	POSPRETÉRITO	PRES.SUBJUNTIVO
he traducido	había traducido	traduciría	traduzca
has "	habías "	traducirías	traduzcas
ha "	había "	traduciría	traduzca
hemos "	habíamos "	traduciríamos	traduzcamos
han "	habían "	traducirían	traduzcan

IMPERATIVO	
traduce	
no traduzcas	
traduzca	
traduzcan	

TRAER

PRESENTE	PRETÉRITO	COPRETÉRITO	FUTURO	GERUNDIO
traigo	traje	traía	traeré	trayendo
traes	trajiste	traías	traerás	
trae	trajo	traía	traerá	
traemos	trajimos	traíamos	traeremos	
traen	trajeron	traían	traerán	

ANTEPRESENTE	ANTECOPRETÉRITO	POSPRETÉRITO	PRES.SUBJUNTIVO
he traido	había traido	traería	traiga
has "	habías "	traerías	traigas
ha "	había "	traería	traiga
hemos "	habíamos "	traeríamos	traigamos
han "	habían "	traerían	traigan

IMPERATIVO	
trae	
no traigas	
traiga	
traigan	

VALER

PRESENTE	PRETÉRITO	COPRETÉRITO	FUTURO	GERUNDIO
valgo	valí	valía	valeré	valiendo
vales	valiste	valías	valerás	
vale	valió	valía	valerá	
valimos	valimos	valíamos	valeremos	
valen	valieron	valían	valerán	

ANTEPRESENTE	ANTECOPRETÉRITO	POSPRETÉRITO	PRES.SUBJUNTIVO
he valido	había valido	valería	valga
has "	habías "	valerías	valgas
ha "	había "	valería	valga
hemos "	habíamos "	valeríamos	valgamos
han "	habían "	valerían	valgan

IMPERATIVO	

VENIR

PRESENTE	PRETÉRITO	COPRETÉRITO	FUTURO	GERUNDIO
vengo	vine	venía	vendré	viniendo
vienes	vinimos	venías	vendrás	
viene	vino	venía	vendrá	
venimos	vinimos	veníamos	vendremos	
vienen	vinieron	venían	vendrán	

ANTEPRESENTE	ANTECOPRETÉRITO	POSPRETÉRITO	PRES.SUBJUNTIVO
he venido	había venido	vendría	venga
has "	habías "	vendrías	vengas
ha "	había "	vendría	venga
hemos "	habíamos "	vendríamos	vengamos
han "	habían "	vendrían	vengan

IMPERATIVO

	ven
no	vengas
	venga
	vengan

VER

PRESENTE	PRETÉRITO	COPRETÉRITO	FUTURO	GERUNDIO
veo	ví	veía	veré	viendo
ves	viste	veías	verás	
ve	vio	veía	verá	
vemos	vimos	veíamos	veremos	
ven	vieron	veían	verán	

ANTEPRESENTE	ANTECOPRETÉRITO	POSPRETÉRITO	PRES.SUBJUNTIVO
he visto	había visto	vería	vea
has "	habías "	verías	veas
ha "	había "	vería	vea
hemos "	habíamos "	veríamos	veamos
han "	habían "	verían	vean

IMPERATIVO

	ve
no	veas
	vea
	vean

VESTIR (SE)

PRESENTE	PRETÉRITO	COPRETÉRITO	FUTURO	GERUNDIO
visto	vestí	vestía	vestirá	vistiendo
vistes	vestiste	vestías	vestirás	
viste	vistió	vestía	vestirá	
vestimos	vestimos	vestíamos	vestiremos	
visten	vistieron	vestían	vestirán	

ANTEPRESENTE	ANTECOPRETÉRITO	POSPRETÉRITO	PRES.SUBJUNTIVO
he vestido	había vestido	vestiría	vista
has "	habías "	vestirías	vistas
ha "	había "	vestiría	vista
hemos "	habíamos "	vestiríamos	vistamos
han "	habían "	vestirían	vistan

IMPERATIVO	

viste
no vistas
    vista
    vistan	

VOLAR

PRESENTE	PRETÉRITO	COPRETÉRITO	FUTURO	GERUNDIO
vuelo	volé	volaba	volaré	volando
vuelas	volaste	volabas	volarás	
vuela	voló	volaba	volará	
volamos	volamos	volábamos	volaremos	
vuelan	volaron	volaban	volarán	

ANTEPRESENTE	ANTECOPRETÉRITO	POSPRETÉRITO	PRES.SUBJUNTIVO
he volado	había volado	volaría	vuele
has "	habías "	volarías	vueles
ha "	había "	volaría	vuele
hemos "	habíamos "	volaríamos	volemos
han "	habían "	volarían	vuelen

IMPERATIVO	

vuela
no vueles
    vuele
    vuelen	

VOLVER

PRESENTE	PRETÉRITO	COPRETÉRITO	FUTURO	GERUNDIO
vuelvo	volví	volvía	volveré	volviendo
vuelves	volviste	volvías	volverás	
vuelve	volvió	volvía	volverá	
volvemos	volvimos	volvíamos	volveremos	
vuelven	volvieron	volvían	volverán	

ANTEPRESENTE	ANTECOPRETÉRITO	POSPRETÉRITO	PRES.SUBJUNTIVO
he vuelto	había vuelto	volvería	vuelva
has "	habías "	volverías	vuelvas
ha "	había "	volvería	vuelva
hemos "	habíamos "	volveríamos	volvamos
han "	habían "	volverían	vuelvan

IMPERATIVO	
vuelve	
no vuelvas	
vuelva	
vuelvan	

ÍNDICE

Impreso en Programas Educativos, S.A. de C.V. • 217008 000 09 98 665

EMPRESA CERTIFICADA POR EL INSTITUTO MEXICANO DE NORMALIZACIÓN Y CERTIFICACIÓN, A.C.
BAJO LA NORMA ISO-9002: 1994 / NMX-CC-004: 1995 CON EL No. DE REGISTRO RSC-048